坂本
図書

坂本図書

# Robert Bresson

ロベール・ブレッソン

*Film director*
*1901–1999*

*#1*

# ロベール・ブレッソン

ロベール・ブレッソンの『バルタザールどこへ行く』[1]を観たのは、80年代初頭。ゴダールの『中国女』に出演していたアンヌ・ヴィアゼムスキーの主演作だからという理由で観たように思う。そのときの印象は、「わかりにくいな」「静かだな」。しかも、悲観的なアイロニーが強くて、正直、「嫌いだな」だった。

その当時は気づかなかったけれど、ブレッソンの作品はどれも素晴らしい。最も衝撃を受けたのは『ジャンヌ・ダルク裁判』。ジャンヌ・ダルクが勇敢に戦う話ではなく、その後の宗教裁判、そして、彼女が謂れなき罪で裁かれるまでを描いている。法を作る力とは何か、法を執行する力とは何か、ここでいう力は暴力、そのふたつの力のことを否応なく考えさせられた。法の正当性が時の権力の恣意的な権威によって左右される事実。僕の中ではカフカの『審判』、ドイツ系ユダヤ人思想家のヴァルター・ベンヤミンの『暴力批判論』、デリダの思想につながっていく大事な作品かもしれない。

　個人的に好きなのは『少女ムシェット』。主人公の少女は家族や社会から疎外され、最後は自ら死を選んでしまう。ブレッソン特有の救いのない結末で何とも痛ましいが、主人公の少女を愛さずにはいられない。『抵抗—死刑囚の手記より』は囚人が脱獄に成功する物語でブレッソンの中では唯一救いのある話。とにかく映像が素晴らしい。シアトリカルな感情表現はなく、手の形、顔の向き、光と影、彫刻的で〝映画的〟としか言いようのない表現を追求している。監獄という閉ざされた世界で頼りになるのは音だ。これは音の映画でもあるのだ。また、違った意味で興味深かったのは『たぶん悪魔が』。テーマは環境破壊。世界が終末に向かっていくという世界観を描いていて、個ではなく、人間総体、地球全体に救いがないという投げかけが非常に印象に残っている。しかもこれは70年代初頭の映画、ブレッソンの人類に対する危機感の強さが思い知れる。

　ブレッソンの作品はとにかく人間観が暗く、人間不信で救いがない終わり方をする。辛い映画が多いので、ずっと観ていない時期が長かったが、実は、彼の著書『シネマトグラフ覚書』にはいい言葉がたくさん書かれていて、20年ぐらいパラパラとページを捲っては読んでいた。

一昨年、アルバム『async』を作り始めたとき、なぜか気になって改めてブレッソンを観てみると、そのスタティック（静的）な映像に惹かれていってしまった。ブレッソンは19世紀的なもの、演劇的な表現手段を極度に排し、ゼロから映像を作ろうとしていた。僕が『async』でやろうとしたのは、従来の音楽的な形式や手法を捨てて、ひとつの音からどう時間を作っていくかというミニマルな曲作り。そのアプローチにいちばん近い映像の作り方をしていたのがブレッソンだと気づいたからだ。

『async』が完成したとき、僕は「SN／M比50％」[2]という音と音楽の比率を提示した。音だけでもいいけれど、音楽が聴きたい。ブレッソンの作品に言い換えると、映像だけでもいいけれど、映画が観たい。映像と映画は違う。ブレッソンもそう思っていたのではないかと僕は思う。映画を観た人の中で、演劇を排するといっても芝居はしているじゃないかと思う人もいるだろう。だが、ブレッソンの映画の意味するところは、時間の流れを無視したアバンギャルドなだけの実験映画とはずいぶん違う。後者はあくまで知的な実験にとどまってしまうが、僕は自分の音楽がもっと人の深奥に届いてほしいと思うのだ。音楽と映画、表現方法は違えど、僕にとって、ブレッソンのスタティックな表現はひとつのお手本となっている。

2018年5月号

## 『シネマトグラフ覚書―映画監督のノート』

ロベール・ブレッソン 著　松浦寿輝 訳　筑摩書房

「映画」を「シネマトグラフ」と呼び、独自の戒律を立て、製作を続けたロベール・ブレッソンが四半世紀にわたり綴り続け「私が認めないのは本物ではないものを撮影すること。セットと職業俳優は本物ではない」「シネマトグラフは運動するイマージュと音によるエクリチュール、新たな言語を創造しようという試みだ」など、多くに演劇論、映画論に影響を与えている言葉も多い。演劇的、商業的映像を激しく批判しつつ、映像の可能性を提示する、今もまだ映像表現のバイブルとして読まれ続ける一冊。

ロベール・ブレッソン：1901年、フランス生まれ（99年没）。画家、写真家として活動後、1943年『罪の天使たち』で映画監督デビュー。ヴェネチア、カンヌなど国際映画祭で受賞多数。職業俳優を起用しない、感情表現の排除など独自の作風をもつ。

1　ブレッソンは、長編監督デビュー作品『罪の天使たち』（1943年）から最後の作品『ラルジャン』（1983年）まで、40年間で長編を13本しか撮っていない。寡作の監督といえる。

2　2017年3月に発売されたアルバム『async』は「発売日まで誰にも聴かせたくない」という本人の意向で、内容を一切知らされなかった。事前に唯一提示されたのがこの謎の暗号。S＝サウンド、N＝ノイズ、M＝ミュージックとも推察されるが、いまだその意味は明らかにされていない。

# Soseki Natsume

夏目漱石

*Novelist*
*1867–1916*

*#2*

## 夏目漱石

今、高谷史郎氏[1]と制作しているオペラが完成までの階段をひとつずつ上がっている。その制作の過程で夏目漱石の『草枕』と『夢十夜』のことが気になって仕方がない。通常のドラマがもつ線的な構造から離れたいという気持ちが、僕と高谷氏の中にあり、それらが大きなヒントになると感じるからだ。

漱石は小説以外にも、歌や俳句をやっていたというのは有名だが、能の謡の練習もしていたらしく、『草枕』は世阿弥が確立した夢幻能の構造で書かれているという。実は9年前にリリースしたアルバム『out of noise』の中の「hibari」という曲は『草枕』の最初の、山道を歩いていくと、雲雀の声がするというヒバリだった。また、僕の敬愛するグレン・グールドが好きだった小説がやはり『草枕』。赤線、青線を引っ張って、いろいろなことを考えていたらしい。どうもラジオ劇やオペラのようなことを構想していたそうだ。論理的で構築的な人なのに、『草枕』に惹かれていたというのは、グールドの中に直線的でないものにも惹かれる部分があったということだろう。

『夢十夜』で一番好きなのは、第一夜。恋人らしき女性が病気で伏してしまい、死んでしまう。そして、白い百合の花になり、気がついたら100年経っていたというまさに夢の話。これをそのままオペラにしたいと思うほど、美しい。死んで植物になるという輪廻転生、それは生態系の話でもある。一瞬が100年だったり、100年が一瞬だったり。夢は時間的構造が直線ではなく、すべてが凝縮されているともいえる。やはりその点でも音楽にとても深く関係しているように思える。というか、そのような音楽を作りたい。原因があって結果、問いがあって答えがあるという論理的な直線を紡いでいくと、線的な時間になってしまう。我々の実社会では、常にそういう時間を前提に生きている。しかし、夢やアートの中ではそれはすべて崩れる。フロイトがある意味「発見」し、シュールレアリストたちが発掘した夢という宝庫。漱石のような論理性の極地みたいな人が、ふっと夢のほうにいって、直線的論理が通じない世界を描く。『夢十夜』もまた惹かれる理由は挙げだすと限りがない。

僕の人生の中で全集買いはふたりいて、太宰治と漱石。大学時代、アルバイトをしてお金を貯めて、古本屋で一揃い買って、片っぱしから読み始めた。70年代には、江藤淳や柄谷行人が漱石を評論していた。純粋に小説を楽しむというより、一種の思想として読んでいた気がする。吉本隆明の影響も強かったかもしれない。しかし、今は山水画のように漱石の作品と向かい合いたい。そして同様に、この10年ぐらい能とも向かい合っている。実はブレッソン[2]も能的なものと関係していると思うし、さらにいうと、夢幻能のようなオペラを作りたいと思っている。

近代から現代まで、デカルト的で機械的な世界観が支配している。例えば生物に対しても、口から燃料を入れて燃やして活動して、部品が壊れたら取り換えればいいという自動車の部品のような集まりという考え。僕はそれを間違いだと思っている。それは人間だけが思い込んでいる世界観で実像ではないはずだ。プラトンが言ったように実像は見えず、影しか見えていない。そのうえ、人間はすぐに言語化し、論理的展開でしか考えようとしない。残念ながら、人間はそういう生物である。しかし、哲学者のベルクソン[3]や、昆虫ばかりを見ていたファーブルは気づいていたし、タルコフスキーも気づいていたと思う。世界の実像とは、一直線の時間軸でつながっていない世界、むしろ夢に近いということを。漱石もそれを知っていたと思う。

『草枕』

夏目漱石著　新潮文庫

『文鳥・夢十夜』

夏目漱石著　新潮文庫

**右）** 現代、過去、未来を行き来するように10の夢が語られる漱石にとっては珍しい幻想小説。「こんな夢を見た」という語り出しが有名で、黒澤明監督作品『夢』のヒントになったともいわれる。1908年発表。

**左）** 日露戦争のころの熊本県の山中の温泉宿を舞台に、主人公の青年画家と、謎の美女との交流を描いた作品。主人公の語りを通して、漱石の芸術論、戦争に対する思いも読み解ける。1906年発表。

**夏目漱石**：1867年、東京生まれ（1916年没）。小説家。東京帝国大学英文科卒。1905年の初の長編小説『吾輩は猫である』以降、『坊っちゃん』『草枕』『三四郎』『それから』『行人』『こころ』など、数々の傑作を発表。『明暗』執筆中に永眠。

1　1963年、奈良県生まれ。アーティスト。テクノロジーを駆使した映像表現を行う。「ダムタイプ」に参加するとともに個人での作品も発表。坂本龍一との作品に『LIFE-WELL』『設置音楽2 IS YOUR TIME』などがある。

2　本連載の第1回に取り上げた映画監督ロベール・ブレッソンを、坂本龍一は、「シアトリカルな感情表現はなく〝映画的〟としか言いようのない表現を追求している」と評していた。

3　フランスの哲学者、アンリ・ベルクソン。『時間と自由』『物質と記憶』『創造的進化』など、哲学における時間や心身や生命の問題に関して取り組んだ。1927年のノーベル文学賞受賞者。

# Jacques Derrida

ジャック・デリダ

*Philosopher*
*1930–2004*

*#3*

## ジャック・デリダ

もともと僕は、現代フランス哲学のミーハーなファンで、ミシェル・フーコーやジル・ドゥルーズなどをぱらぱらと読んでいた。少し下の世代で〝脱構築[1]〟で有名になったジャック・デリダがいる。この哲学者のことも、70年代から興味をもち始めていたのだが、文章が難解でよくわからない。何度も挑戦しつつ、長い時間が経ってしまった。そんな僕に、2001年、アメリカの女性監督によるドキュメンタリー映画『デリダ』の音楽の依頼が来た。少しでも彼の哲学を理解しようと努力はしたものの、そのときも深くはわからなかった。あのとき、デリダは僕の音楽を聴いてくれたのだろうか。

そして、ついにきっかけがやってきた。数年前、ロベール・ブレッソンの『ジャンヌ・ダルク裁判[2]』を観、カフカの『審判[3]』を読んだときだ。僕が勝手に思っているだけだが、このふたつとデリダはつながる。ジャンヌ・ダルクは民を扇動して国王までも騙したとされ、宗教裁判で裁かれて、魔女だということで火あぶりになった。しかし、その25年後に宗教裁判自体が誤りだったとされ、その後聖人になった。裁判自体が勝者イギリス側の意向を汲んだ、結論ありきの裁判だったのだ。『審判』も似ている。ある日、主人公の男は自分でもわからない罪名で起訴され、最後に殺されてしまう。このふたつの話に共通している問題は、裁判、裁判の拠りどころとしての法律、そして、法律は誰がどういう力で作ったのかということ。現代の民主主義では、国民に選挙で選ばれた代理人である国会議員が立法、法律を作る。司法はそれを基に裁いて、行政が実際に法を執行するということになっている。法律が作られて、国民はそれに従わないといけない。実際に従わないと、何かをされてしまう。物語のふたりは自分では理解できない法体系によって裁かれ、存在を消されてしまった。

このふたつの物語とデリダを結んでくれるのが、ヴァルター・ベンヤミンの『暴力批判論』[4]。70年代から大事に持っている30ページぐらいの非常に短い論考だが、とても難しく、40年以上も理解できていなかった。あるとき、これをきちんと理解しようと思い、今また何回も読んでいるのだ。法を作る力とは何か？　法に基づいて執行する力とは何か？　結局、力とは暴力。普通は暴力だとは思われていない法を作る立法も実は暴力に基づいていて、当然、執行するのも暴力。2種類の暴力があるということをこの本は言っている。なぜ何十年ぶりに読もうと思い立ったかというと、現代が暴力の世界に突入しているからだ。２００１年のテロのときからかもしれない。いやそもそも、人間の歴史は暴力の連鎖ともいえる。

国、法、その根拠となる力の関係をもっと知りたいと思い、手に取ったのがデリダの『法の力』。いわば『暴力批判論』の参考書だ。国という形、国という制度自体、国が権威としている法というものの中の暴力性を問うていると思う。

70年代から知っていながら精査して読んだことのなかったデリダを読むに至ったのは、トランプの選挙運動期間中。人間の暴力性をもっと深く理解しなくてはという危機感が募ったからだ。その昔、デリダを単なるかっこいい流行の哲学書だと思って接しようとして撥ね付けられ、中に入る糸口さえなかったが、現代の切実な暴力的な世界に直面して、ベンヤミンを通してデリダに接すると、非常にわかりやすかった。

ジャック・デリダの〝脱構築〟は、要するに〝革命〟のことだと、僕は思う。さまざまな日常の場面に溢れている権威と差別に対して、今、人々は敏感に反応し、問いただし始めている。このような時代に、デリダの言葉は、生々しく感じられるのだ。

２０１８年７月号

## 『法の力』〈新装版〉

ジャック・デリダ著　堅田研一 訳　法政大学出版局

法／権利における暴力性を暴き、正義とは不可能なものの経験であり、脱構築であると説く、デリダの"政治哲学"書。国家、権力の危うさを解き明かし、ナチスによる法の暴力批判やベンヤミンやハイデガーの論考にまで言及する。デリダの晩年の主著。1990年初版。

ジャック・デリダ：1930年、アルジェリア生まれ（2004年没）。哲学者。ポスト構造主義の第一人者。ロゴス中心主義の脱構築を提唱し、芸術理論、言語論、政治・法哲学、建築論など、人文社会学の幅広い領域でも独自の論を展開した。

1　デリダの代名詞的用語。ヨーロッパの形而上学的思考、二項対立を解体し、その要素を精査し再構築する思考法。芸術一般でも多く使われ、ポストモダニズムやアメリカの文学批評にも広がる。

2　1962年作品。ジャンヌ・ダルクの裁判記録の映画化。フランスの救世主としてではなく、魔女とされ、宗教裁判を受け、異端者として火刑に処される様を描く。「坂本図書」第1回でも言及。

3　フランツ・カフカの長編小説。カフカの生前には発表されず、死後、1927年に発表された。映画化も多く、オーソン・ウェルズ監督作品（1962年）、スティーブン・ソダーバーグ監督作品（1991年）が有名。

4　思想家、文学者のヴァルター・ベンヤミンによる、暴力と法、法の正義に関する論考。本編ほか「翻訳者の課題」「認識批判的序説」などをまとめた『暴力批判論他十篇』（岩波文庫）で読むことができる。

# Yasujiro Ozu

小津安二郎

*Film director*
*1903–1963*

*#4*

# 小津安二郎

小津安二郎の映画はモホリ＝ナギ[1]の写真に似ている。そう思ったのは、高校生のころ。ヌーヴェルヴァーグの映画やウォーホルやデュシャン、そしてバウハウス[2]も好きになった。そのバウハウスに、ハンガリー出身のモホリ＝ナギという写真家がいる。彼の作品を見たとき、小津のようだと思った。小津ってバウハウスじゃないか。ミニマルで抽象的な構成に、非常に近い感性を感じ、それから小津の映画はアートだと思うようになった。

90年代に、ロンドンで武満徹[3]さんと再会した。武満さんも小津が大好きだと知っていたので、「小津って、モホリ＝ナギだと思いませんか？」と言ったら、「その通りだ！」「あれはバウハウスだ！」「構成主義的だ！」と意気投合し、しまいには「画は素晴らしいのに、なぜ音楽はあんなに普通なんだ！」「ふたりで全部音楽を書き換えよう！」と盛り上がったのだが、残念ながらそれは実現しなかった。今は実現しなくてよかったと思っている。黒澤映画の早坂文雄さんの音楽は僕には少し稚拙に聞こえる。小津映画の音楽は凡庸だと思う。しかし、小津は意識してそうしたのだと、今は思う。当時、芥川也寸志や黛敏郎など、より前衛的な作曲家に依頼することもできたはずだが、あえて凡庸に聞こえる音楽を自己の映画の中に配置した。そのころ、小津の映画はアートというより盆暮れに家族で観に行くものだったとはいえ、その理由は小津の考える映画としての統一性からだろう。

小津映画の中に登場する煙突やビル、看板の記号的なインサート、また人々の位置や視線の方向性、そしてもちろん有名な家の中のシンメトリカルなショットに、シュールレアリスム、バウハウス、構成主義などとの強い親近性を感じる。小津映画を何度も観てしまう理由のひとつもそこにあるのかもしれない。さまざまな映画を通して執拗に繰り返される家族のストーリーというより、コンポジション(構成)、アンビエントな画の流れ、ミニマルミュージックを聴いているような心地よい静かさ。何度見ても飽きない極上の写真集のページを繰っているようでもある。ストーリーにではなく、コンポジション自体に僕は涙してしまう。映画は一枚の絵ではないし、本でもない。映画ならではの持続性の中の光と影。そこに感情と音が絡み合いながら流れていく。映画にしか描けない情動と快楽があり、僕はそれが心から好きだ。

小津は、「僕はトウフ屋だから、トウフしか作らない」と言っている。何も言いたくもないし、社会批判もしたくもないし、映画だけ作っているんだと。しかし、戦後の日本の象徴である家族の崩壊を描き続けている。ただそれを悲しいとも言わず、涙も見せず、諦念を抱きながら、淡々と描き続けている。だから、小津映画には説教臭さがない。現実をそのまま受け入れる。これは小津なりの戦争体験の影響も大きいのかもしれない。

小津の映画の中にはあまり戦争が出てこないが、『秋刀魚の味』では駆逐艦の元艦長の笠智衆と、下士官だった加東大介が久しぶりに会うシーンがある。バーのママの岸田今日子が軍艦マーチをかけながら敬礼する有名な場面。ふたりは戦争の話になり、笠智衆は「いや〜、負けてよかったんだよ」とひと言。ここでは珍しく小津の本音が聞こえるようだ。奇しくも『秋刀魚の味』は小津の遺作。

小津の映画では、人々は別れ、あるいは死んでいくが、それでも事実を無言で受け入れる。そして、日常が続いていく。かすかに隣の家から子どものピアノを練習する音が聞こえる、風鈴が鳴る、お隣さんが挨拶する、戦後日本の音風景。禅的であり、達観であり、諦念の世界。鎌倉の小津の墓には「無」の一文字が刻まれている。

2018年8月号

## 『僕はトウフ屋だからトウフしか作らない』

小津安二郎 著　日本図書センター

**小津安二郎**
僕はトウフ屋だから
トウフしか作らない

映画監督・小津安二郎が語る、自らの人生と映画創作のエッセイ集。戦地で銃撃戦の最中でも表現のことが頭にあったことなど、自らの歩んできた人生の中で、映画とは何か？ 表現とは何か？ に真摯に向かい合ってきたことがわかる。また、当時の日本映画や俳優についての言及も多く、戦後の映画界や世俗に関しての貴重な資料として読むこともできる。戦時中に中国から知人に送った手紙も収録され、人間・小津安二郎を深く理解できる一冊。

小津安二郎：1903年、東京生まれ（63年没）。1927年『懺悔の刃』で監督デビュー以降、戦前戦後の家族をテーマに作品を発表。代表作として『東京物語』（1953年）、『秋刀魚の味』（1962年）。独自のローアングルなど、世界の映画界に影響を与えた。

1　1895年、ハンガリー生まれ（1946年没）。写真家、造形作家。前衛芸術運動に参加後、1922年、バウハウスのマイスター（教授）に就任。1937年に渡米し、シカゴで〈ニュー・バウハウス〉を設立する。

2　1919年ドイツ中部ワイマールに設立された美術学校。デザイン、写真、建築など総合的な教育を行った。1933年ナチスにより閉鎖されるが、影響力は大きく、モダンデザインの礎を築いた。

3　1930年、東京生まれ（96年没）。作曲家。『弦楽のためのレクイエム』で世界に名を轟かす。その前衛的な作風は〈タケミツ・トーン〉と呼ばれる。黒澤明『乱』など映画音楽でも知られる。

# Akira Kurosawa

黒澤明

*Film director*
*1910–1998*

#5

# 黒澤明

黒澤明は画家を目指していた。『黒澤明全画集』で見ることができる彼の絵コンテには力がある。監督の撮影のためのスケッチという以上の、フェリーニのそれにも匹敵するものだと思う。色彩豊かで、ユーモアがある。絵心というか、「動き心」といえるようなコンポジション（構成）も目を引く。当然ながら黒澤はイメージを動的に捉えていた。それは彼の映画の中に十全に表わされている。人間集団のフォルムと動きに加え霧などの自然現象、それらを捉えるカメラと、非常に重層的で複雑な動きがストーリーの要請に沿って明快に構成されていく。

『乱』[1]では何百人もの兵隊と馬に加え、霧、天候をも含めた完璧なコンポジションが見られる。3群の兵隊の甲冑、兜、旗などは赤、黄、青と、色の3原色に色分けされていて、3色の人間集団があらゆる方角から入り乱れて疾走する。この動きのダイナミズムが黒澤映画の真骨頂だろう。あからさまな色分けや動きで骨太に構成していくその手法は、僕にベートーヴェンの作曲法を思い起こさせる。

部品一つ一つの魅力というより、厳選され、綿密に配置された部品たちはダイナミックなコンポジションを作り出すために奉仕するのだ。ベートーヴェンは、あるメロディの魅力よりも、簡素でしかも大きな作品を動かすエンジンとなる強い動機を求めて、たくさんスケッチを描いた。そのためには甘い旋律も迷わず放棄した。

映画の中で、感情は必ずしも言葉によらずとも、表情や音、時間の流れ、また編集でも表現できる。例えば、妻に先立たれた男が何も言わずに座っている。そして青空のシーンが続く。それにより、泣き叫ぶよりよほど深い悲しみが出てくる。このように編集によって深い感情を生み出すことができる。

しかし映画には言葉がある。言葉とは思想を表現する。この思想は厄介だ。黒澤映画は僕には人間主義的に過ぎることがある。説教臭く感じる。「こんなことが許されていいのか」と糾弾する心の声が聞こえてくる。『生きる』や『羅生門』はその最たる例だが、僕は観るのが辛い。

黒澤映画の中で『デルス・ウザーラ』[2]は特異だ。1971年、映画製作の資金を集めることが困難になり、黒澤は自殺を図る。その後ソビエトとの合作で『デルス・ウザーラ』が誕生する。主人公はシベリアの先住民。本物の先住民俳優を起用し、彼らの価値観をきちんと描いている。あるシーンで、主人公が食料の一部を森のそこここに置いていく。都会から来た軍人はその意味がわからず問うと、他の動物たちへ分け与えている、というのだ。自殺未遂以降、黒澤の中に何か気づきがあったのだろうか。

この映画の、森の中で先住民が文明人を助けるエピソードは『レヴェナント：蘇えりし者』[3]へと受け継がれる。イニャリトゥは黒澤をとても尊敬しているので、これは直接的な影響に違いない。この先住民の題材が黒澤の中で直接的に発展していくことはなかったが、『夢』の中の着色されたプルトニウムという発想など、黒澤が人類の機械文明に対して大きな危機感を感じていたことは確かだろう。前述の過度のヒューマニズムの表出はその反動だとは、すぐに推察できる。

海外でものを作っている人間で、最も知られている日本人は黒澤明に違いない。日本人といえば黒澤明である。それがどれだけすごいことか。しかし、『デルス・ウザーラ』はソビエトが、『影武者』はジョージ・ルーカス、コッポラが支援し、『乱』はフランスが協力した。日本映画界最大の、いや映画界に限らず、戦後日本最大の功労者といっていい黒澤に、映画を作る環境を与えない日本という国、その不幸を憂いてしまう。

2018年9月号

## 『黒澤明全画集』

黒澤明 画・著／黒澤プロダクション 監修　小学館

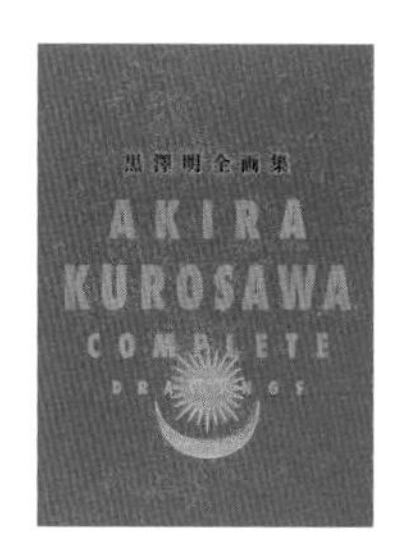


映画同様に世界で賞賛を得た黒澤明の絵コンテ、ドローイングを約2,000点収録。『影武者』『乱』『夢』といった作品を台本の流れに沿って掲載。さらに『飛ぶ』『素晴らしき夢』など未映像化作品に加え、絵画として描いた自然・寺院・仏像の画も出版物としては初公開される。映画界の巨匠・黒澤明が描いた鮮やかでダイナミックな画の数々は、映画好きだけでなく、美術書としても見応えのある一冊。

**黒澤明**：1910年、東京生まれ（98年没）。1943年『姿三四郎』で監督デビュー。『羅生門』『生きる』『七人の侍』など生涯で30本もの多様な作品を生み出した。アカデミー賞や三大国際映画祭で受賞。その独自の演出法と映像美は世界の映画界に多大な影響を与えた。

1　1985年公開。シェイクスピアの四大悲劇のひとつ『リア王』をベースに、毛利元就の逸話「三本の矢」を取り入れた黒澤最後の時代劇作品。『七人の侍』で映画デビューした仲代達矢が主演を務めた。アカデミー賞衣装デザイン賞を受賞。

2　1975年公開。ソビエトの全面的な出資でシベリアの大自然の中撮影された異色作。季節通りの撮影進行や、実際の洪水現場の撮影、本物の先住民の起用など黒澤らしいこだわりが映る。アカデミー賞外国語映画賞、モスクワ国際映画祭大賞受賞。

3　2015年公開。アレハンドロ・ゴンサレス・イニャリトゥ監督の作品。アメリカ西部開拓時代を生きた実在の人物の半生をもとに製作。レオナルド・ディカプリオが演じる主人公の、大自然での過酷な生活を描く。アカデミー賞監督賞、主演男優賞、撮影賞を受賞。

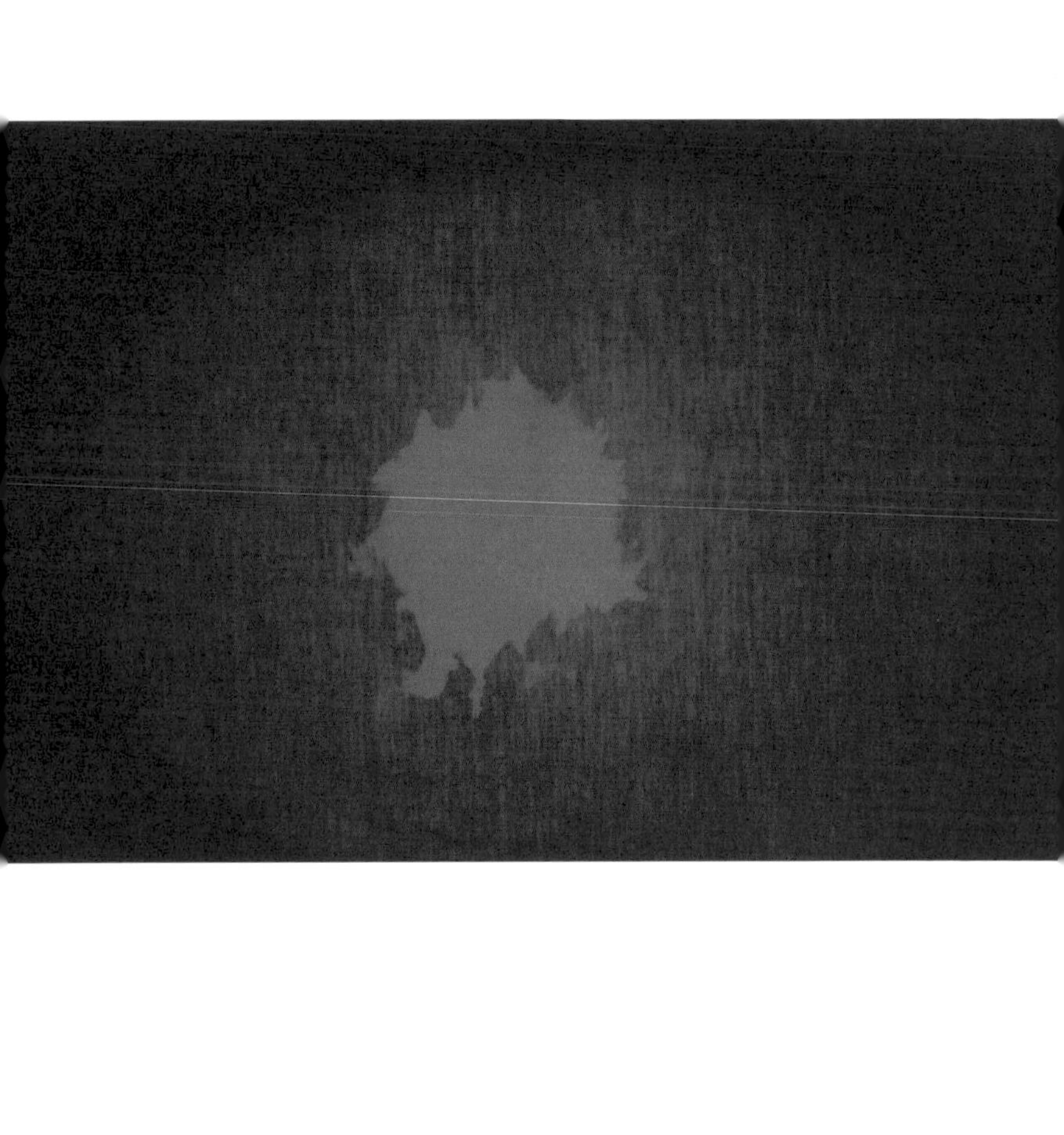

# Nagisa Oshima

## 大島渚

*Film director*
*1932–2013*

#6

## 大島渚

1967年、新宿が日本のサブカルチャーの中心だった。世田谷の田舎で小学、中学と過ごした僕は、もの珍しさから高校入学とともに、ジャズ喫茶や本屋、映画館など、新宿の街をほっつき歩く日々を送っていた。ある日、アートシアター新宿文化で、何とはなしに大島渚さんの『日本春歌考』[1]という映画を観た。スクリーンいっぱいの日の丸と吉田日出子の鮮烈なイメージ。大島映画との「出会い」は衝撃だった。強い興味にかられて他の作品も観たくなり、次に『日本の夜と霧』[2]を観た。全編暗くて、ただ学生たちが議論をしている映画という印象で、埴谷雄高の小説『死霊』を思い起こさせた。ゴダールは「大島の『青春残酷物語』[3]からヌーヴェルヴァーグは始まった」と言ったが、僕にはあまりピンとこなかった。その後の『無理心中日本の夏』『絞死刑』『少年』などのほうが間違いなく僕に影響を与えている。

僕の中での一番は『新宿泥棒日記』[4]。まるで自分の日常を観ているようで、出演者、風景、設定、編集、すべてがとてもリアルに感じられた。世の多くの映画監督はある意味「絵描き」だと僕は思っている。しかし大島さんは「絵描き」ではなく、思想家、あるいは思索者としての映画監督だろうと僕は思う。これは非常に珍しいのではないだろうか。

その後、『夏の妹』までは観ていたが、『愛のコリーダ』『愛の亡霊』はちょっと敬遠していた。そんななか、『戦場のメリークリスマス』の話が届く。数日後、大島さんは脚本を持ち、ひとりで会いにいらした。俳優も映画音楽もやったことのない僕が出演を受諾する前に「僕に音楽をやらせてもらえますか?」と聞いてしまった。答えは即座に「いいですよ」。なぜ、僕がそんなことを言い出したのか、今でも不思議だ。

現場での大島さんはイメージ通り、すぐ怒鳴る、怖い顔をしている〝大島渚〟だった。演出は即興性を重んじていた。たけしにしろ、デヴィッド・ボウイにしろ、僕にしろ、素人の役者。シアトリカルな俳優の動きを嫌がり、リハーサルもテイクも少ない。そして、積極的に役者のアイディアを取り入れる。音楽も100パーセント自由だった。「いいですよ」と言った時点で、自分の仕事は終わりなのだ。「私の仕事は作曲家を決めることで、音楽を作るのはあなたの仕事です」と。完成した映画を観ると音楽がすべてそのまま使われていた。また、本番で奇跡的な偶然が起こることを喜んでいた。『戦メリ』で一番有名なボウイとのキスシーン、コマが飛んだようにガクガクッとなる、あれは本当にコマが飛んだ事故だったが、大島さんは天から授かったこの偶然を喜んだ。ベルトルッチが「映画史上最も美しい」といったラブシーンは大島さんの即興性から生まれている。

『戦メリ』の次回作は〝早川雪洲〟の予定だった。海外で活躍した日本人に対して、強い興味が湧いていたのだと思う。主役をやってほしいと打診された。しかし、撮影開始直前、大島さんが病に倒れ、映画は完成しなかった。その後、必死にリハビリをし、『御法度』で復活する。テーマは少年愛。思えば『戦場のメリークリスマス』はLGBT映画だった。少年愛は平安の時代から最も清い愛情の姿であるといわれた。大島さんはスタイルは違えど遺作となったこの作品で、国家と集団と暴力、そして、性の問題を扱った。これは初期からの一貫したテーマだといえる。『御法度』の現場は特別だった。そこにいるみんなが大島さんへの最後のご奉公と思っていたのだろう。

16歳の、あの新宿での「出会い」からずっとつながっている縁。ベルトルッチとはカンヌで大島さんに紹介され、その後三度も一緒に仕事をすることになった。それもすべて大島さんのおかげ。

2018年10月号

## 『大島渚著作集 第三巻 わが映画を解体する』

大島渚 著／四方田犬彦・平沢剛 編　現代思潮新社

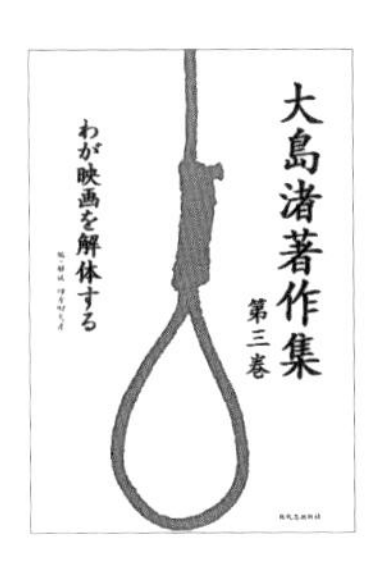


大島監督の著述を四方田犬彦と平沢剛が編纂した全四巻の著作集『大島渚著作集』。第三巻には『愛と希望の街』『御法度』など、監督自らによる24作品への辛辣な論評を掲載。未発表となった幻のヤグザ映画『日本の黒幕』の脚本も初収録。坂本さんの蔵書には大島監督の著作物も多く、「大島さんは社会問題と向き合うとき、映画での表現だけでなく本の執筆やテレビの出演などで思いを伝えようとしていた気がする」と言う。

**大島渚**：1932年、京都府生まれ（2013年没）。1959年『愛と希望の街』で映画監督としてデビュー。カンヌ国際映画祭監督賞を受賞した『愛の亡霊』をはじめ、『青春残酷物語』『愛のコリーダ』『戦場のメリークリスマス』など挑戦的な作風は国内外で評価された。

1　1967年公開。大学受験のため上京した男女の対立する価値観を歌で表現した青春映画。音声は撮影後に録音。台詞と歌、音楽のモンタージュが印象的。

2　1960年公開。安保闘争や学生運動をテーマに描いた作品。政治的要素が強く、公開4日後で上映打ち切りになる。リアルな緊張感を映し出したスピーチシーンが話題に。

3　1960年公開。過激な描写で若い男女が破滅していくまでのストーリーを描く。「松竹ヌーヴェルヴァーグ」という言葉を生み、興行的にも成功した、大島監督の出世作。

4　1969年公開。主人公が書店での万引きをきっかけに、新宿の混沌とした世界に引き込まれてゆく。ドキュメンタリータッチで撮影され、登場人物や店が実名で登場する。

# Bādàshānrén

八大山人

*Painter*
*1626–1705*

#7

## 八大山人（はちだいさんじん）

昔、僕は書画骨董が嫌いだった。風流な金持ちの趣味人が、暇とお金を費やしてやるものだと思い込んでいたのだ。しかし、あるとき、李禹煥（リウファン）[1]さんの本で八大山人と出会った。僕が音楽を担当した韓国映画『天命の城』[2]で描かれた、中華帝国が明から清に変わるころの時代の画家であり、書家であり、詩人である。漢族である明王朝と満州族が作った清王朝は、民族が違うため、言葉も風習も違う。王朝が代わると、以前の王朝を引き継いでいる人々、皇位継承者、家族はもちろんのこと、文化、風習を担っていた知識人に至るまで大量に虐殺されたそうだ。明の皇位継承者であった八大山人は清の追手から身を隠し、長い逃亡の人生を送ることになった。山人の生年月日、没年などに謎が多いのはそのためだ。生き延びるために名前を変え続けた。書画のサインも40以上あるといわれている。田舎に逃げたところで天才の噂はすぐに広がり、金持ちの商人などが書画を求めに来る。それがきっかけとなって清の役人にも知られてしまい、また生活の場所を変える。逃亡を始めた20歳前後から80歳近くまで、多くの作品を残しながら、そんな流転の人生を送ったのだ。

僕が八大山人に惹かれたのは、その異常なまでの抽象性である。大胆な余白と空間、微妙な線、限られた色。八大山人の画は、僕が今考える音楽に、大きなインスピレーションを与えてくれる。余白を埋めてしまうのではなく、空間、あるいは間、沈黙を活かすこと。音色のうつろいとしての墨の濃淡。決して幾何学的な計算からは出てこない枝、葉のフォルム。この抽象性に目を瞠らざるをえない。彼の存在を知ってから、中国の書画に興味をもったが、何千年もの歴史の中で、これほどのミニマリズムに到達した人はいないのではないか。中国の言葉で「筆簡形具」という言葉がある。「筆は簡潔にして、形備わる」、これが中国の書画の理想であるといわれている。山人は、その筆簡形具の徹底した境地にまで行ったひとりだろう。清の追手から身を隠し、山に篭り、あるときは僧侶、あるときは道教の道士になりながら、姿と名前を変え続け、筆簡形具の境地まで至ったのは、清に対する強い怨恨のエネルギーにほかならない。尋常ではないパワーが、どうやってその究極のミニマリズムを生み出したのか、山人の感情と思考の過程は余人には測りがたい。

僕は山人の生活に、少し憧れる。破れ寺のような所に住み、貧しく、着るものにも無頓着、お酒が好きで、カンフー映画の道士のような存在。そして、過酷な人生を生き抜き、最後まで強い意志を燃やし続け、究極の境地に達するために身を削った。共感などという軽々しい言葉は使えないが、強い信念を曲げないという部分に、自分もそうでありたいと思う。

破れ寺で思い出すのは、ナム・ジュン・パイク[3]の家。僕は30歳半ば、80年代のある冬の日、ソーホーのマーサー・ストリートに今もある彼のアトリエに初めて行った。そのアトリエはビルの最上階にあり、屋根に大きな穴が開いていた。トイレはむき出しで、透明のビニールがそのエリアを囲んでいるだけ。折しも天井の穴から雪が舞い込んできて、僕らはそれを見ながらお酒を飲み語り合った。パイクは現代のタオイストだと思った。タオイズムは自然の神秘的な力を利用し、自然の奥義を知るアニミズムに近い宗教。パイクはテクノロジーを駆使したビデオアートをやりながら、非常にユーラシア的なタオイズムの精神をもち続けたと思う。

八大山人の生き方を思うとき、僕はパイクや李さんを通して考えている。彼らに共通して感じるもの、それはなぜか日本には根づかなかった道教的感性なのかもしれない。

2018年11月号

## 『八大山人［人と芸術］』

周士心 著　足立豊 編・訳　二玄社

明末清初、20歳ごろに明を逃亡し、縁故を隠すため、生涯で40回も名号を変容させた遺民画家・八大山人。本書は、八大山人全集『八大山人及其芸術』を訳出・解題したもの。巻末には訳者が新編した詩鈔と年譜が掲載されている。これまでに研究された書の中でも、八大山人を知るには最適な一冊。図版・挿図も多数収録。

八大山人：1626年、中国生まれ（1705年没・諸説あり）。清初の遺民画家（前王朝への忠節の心を表現する画家）。明の王族として生まれる。明滅亡後は禅門に入り、多くの弟子を持つが、のちに発狂し（偽りだったとの説も）、還俗。書画三昧の日々を過ごす。花卉（かき）や山水を多く題材としながら、伝統にとらわれず、独特かつ豊かな画風を確立した。

1　1936年、韓国生まれ。日本とパリを拠点に国際的に活動する美術家。60年代後半から現代美術の動向「もの派」を理論的に主導し、日本の現代美術に大きな影響を与えた。

2　2017年公開（韓国）。1636年に清が朝鮮に侵入し制圧した「丙子の役（へいしのえき）」と呼ばれる戦いを題材に描く。坂本龍一が韓国映画では初めて音楽を手掛けた作品。

3　1932年生まれ、2006年没。「ビデオ・アートの父」として知られる現代芸術家。50年代に来日し、東京大学に入学。卒業後は国際的な芸術運動フルクサスに参加し、63年に世界初のビデオアート作品を発表。

# Lee Ufan

## 李禹煥

*Artist*
*1936–*

*#8*

## 李禹煥（リウファン）

僕が藝大に入ったころ、〝もの派〟[1]が最新の美術運動だった。李禹煥さんはその中心にいた。〝もの派〟のことは頭の片隅に長年もち続けていたが、アルバム『async』[2]を作り始めるときに、強く導かれるように李さんの本のページをめくり、大きな刺激を受けた。自分が何かの課題をもつことで、見えていなかったものが見えてくる、ということは誰でも経験することだと思うけれど、まさにそれだった。それは〝余白〟だった。本のタイトル『余白の芸術』そのままに何十年も、李さんは〝余白〟を追求している。アルバム『async』はまるで、真っ白なキャンバスにひとつの点を打つ、ひとつの線を引く、というように作り始めたのだが、そこに李さんのアートと強く惹きあうものがあると感じる。

近代美術ではアーティストは個々の内的宇宙を作るという考えをもっている人が多いし、個人の中の観念を外に表すことを表現というふうに思っている人が多いが、僕はそれに違和感を覚える。20世紀初頭のマルセル・デュシャン[3]のアートから、その否定は始まった。例えばあの有名な便器である。あれはデュシャンの観念の象徴ではなく、ただ有るものをギャラリーに設置しただけの、まさに近代美術への否定だったのではないだろうか。僕たちはデュシャンの観念の一部を覗き見ているのではなく、外部との関係を目の当たりにしているのである。外部、それは〝余白〟と言い換えることができる。

音楽においても、ヨーロッパでは長い間、ある閉じられた時間の中で音色と音符を配置していき、揺るぎない構築物としての楽曲を作ることを目指してきた。しかし、計算できない〝ずれ〟を持ち込むことや、音のない〝余白〟を持ち込むことは、ヨーロッパ音楽の発想にはなかった。そして、いまだに音空間を隙間なく音で埋め尽くそうとする人が多い。それはポップスでも、ロックでも同じだ。そこに〝余白〟はない。

今、僕は〝余白〟がより大事だと思っている。外部、それはすなわち自然だ。近代文明は、自然から、ガラス、石、鉄、木などの素材を搾取して、人間の望む形にし、積み上げ、合理的な構築物を作ろうとしてきた。人間の思想や観念によって構築されたものが文明的で、自然はその素材にすぎず、あるいは経済では富を生むためのリソースにすぎないと見られている。しかし、津波という巨大な自然が文明をぶち壊した事実を僕たちは目撃した。3・11の津波と、その後に起きた自分の癌という病気のことがこの思いを加速させている。自然は必ず人間の傲慢で横暴な振る舞いに対し、しっぺ返しをするだろう。僕は身体のことを、自分に最も身近な自然だと思っている。すなわち、身体も〝余白〟である。

アルバム『async』で、サウンドと音楽が50：50という意味合いを込めて、「SN／M比50％」というメッセージを出した。自然は音に満ちている。雨が降っても、風が吹いても、犬が鳴いても音がする。しかし、それをただ並べても音楽にはならない。そこから「音楽を作りたい」というアートへの欲求が生まれてきた。アート（ART）はアルス（ARS）というラテン語に由来し、日本語だと技芸と訳される。『async』は、自然の外部性である〝余白〟と、人間の技芸の50：50で作ったものだ。

李さんの作品は自然物をいつも使っている。川辺にある石と鉄板を一緒に置いたり、ガラスの上に石を落として割ったり。自然の〝余白〟と人間の身体性、そして技芸との複雑な対話で李さんのアートは成り立つ。僕が自分の身体と向き合い、切実な課題をもち、〝余白〟の大事さを知ったのは、紛れもなく、それを実践し続けていた李さんのおかげだ。

2018年12月号

## 『余白の芸術』

李禹煥 著　みすず書房

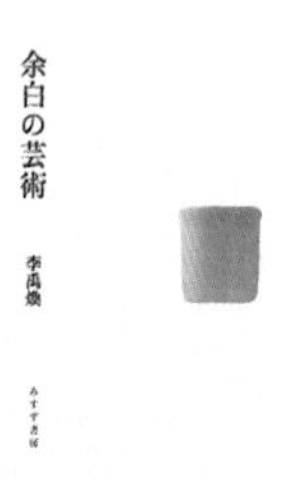


1960年代末から70年代初期に日本の現代美術史に大きな影響を与え、以降、各国での展覧会開催や世界文化賞絵画部門受賞など国際的に高い評価を受ける芸術家・李禹煥。自身の芸術、現代美術の旗手であるゲルハルト・リヒター、若林奮ら作家たち、ものと言葉、自身と取り巻く外の世界との境界について……。1967年から70年の出版までに書かれた文章を編集し、李禹煥の制作にかける思いやエピソードとともにまとめられた一冊。

**李禹煥**：1936年、韓国生まれ。自然素材や人工物など「もの」を用いた作品に取り組み、現代美術の動向「もの派」の中心人物となる。グッゲンハイム美術館、ヴェルサイユ宮殿庭園での個展など国内外で活躍。

1　60年代末から70年代初頭にかけて石や鉄、ガラスといった「もの」をほぼ未加工で扱い展示することで、ものと人、空間の関係性を探る現代美術の動向。

2　2017年に坂本龍一が8年ぶりに発表したオリジナルアルバム。環境音など、規則的なリズムをもたない音を収集し、制作した「非同期」的楽曲を収録。

3　1887年生まれ（1968年没）。芸術家。概念の芸術、ダダイスム、インスタレーション、科学の導入など、現代美術の礎を築いた重要人物のひとり。

# Shuzo Kuki

## 九鬼周造

*Philosopher*
*1888–1941*

*#9*

## 九鬼周造(くきしゅうぞう)

音楽は時間の中でしか存在し得ない「時間芸術」である。その〝時間〟について考えるヒントとして、僕はハイデッガー[1]の『存在と時間』を読み始めた。そして、その難解な文章の参考書として、ハイデッガーに薫陶を受けた哲学者、九鬼周造の本に出合った。九鬼はドイツでハイデッガーだけでなく、フランスでベルクソン[2]にも直接教えを受けている稀有な日本人だ。僕はこのふたりの哲学を考えるとき、九鬼の書物を参照する。

九鬼は2回、ヨーロッパに留学をした。最初の留学を8年間で終え、帰国後に『「いき」の構造』を執筆しているのが面白い。ヨーロッパの哲学だけでなく、音楽、絵画、詩、舞台芸術などすべての芸術に対する理解力と、それらを受容する彼の感覚は素晴らしい。例えば、当時まだ前衛と言ってよかったドビュッシーの音楽が的確に評されていて、独特の時間的な観点から、その特徴を東洋的、日本的だと記している。そのように当時の最新の文化を貪欲に吸収しながら、同時に西洋的なものに対する強い反発もあったのではないか。それが改めて自分のよってきたる日本的な感性、文化、世界観を見直すことになったのだろう。九鬼の処女作は、なんと帰国前にフランス語で書かれ、彼の地で出版された『時間論』である。九鬼はベルクソンと同様、生涯〝時間〟にこだわり続けた哲学者だった。

西洋では、ニュートン以降、あるいはもっと遡ってアリストテレス以来、時間を数学的に、分割された点であり、それが無数に並んでいる線だと考えてきた。その線は無限の過去から、無限の未来に均等に延びていき、過去から未来に一方向に進み、決して逆には進まない。しかも宇宙のどこでもこの同じ原則が当てはまる、という約束になっている。現代の都市生活ではその原則のもとにすべての約束事や科学技術が成り立っていて、そうではない時間というものがあると想像することさえ、人には難しいだろう。

しかし僕は音楽を作りながら、次第にこの均等な点の集まり、一方向に進むという時間の考え方に違和感を感じるようになってきた。そこで時間に対して異なる古今東西の見方、感じ方、哲学、考察を貪るように求めてきたのだ。そして歴史的に、また異なる文化の中に、さまざまな時間の捉え方があることがわかってきた。当の西洋哲学においても、時間とは何か、空間とは何かということは中心的な課題だったとも言っていいだろう。だが、その答えはいまだに見つかっていない。

　もし過去、現在、未来がそれぞれ交換可能な点だとするなら、一瞬前に存在したはずの過去は、現在どこに存在しているのだろう。また存在するはずの未来はどこにあるのだろう。点としての現在は、どのくらいの長さなのだろう。それは決まっているのだろうか。各個人で違うのだろうか。宇宙のどこでも同じ長さなのだろうか……。時間について考え始めると、次々に疑問が吹き出してくる。

　九鬼は『時間論』の中で、西洋の直線的な時間の考え方に対し、東洋的で円環的な時間観を提示している。確かに農耕を基礎とするアジア文明では、回帰する時間感覚は、それほど不思議なものではない。21世紀になっても、僕たちは毎年必ず忘年会をし、お正月のお餅を食べる。アジアの存在感が希薄で、その世界観があまり知られていなかった当時のヨーロッパでは、円環的な時間論は、ある程度インパクトがあったのではないか。

　しかし、線的な時間に円環的な時間を対置しただけで、時間に対する種々の謎に答えられるだろうか。僕には疑問だ。僕は僕なりの時間観をもたなくてはならないのだろうか。その時間観に基づいた音楽は、どんな響きがするのだろうか。まだまだ時間への探求は始まったばかりだ。

２０１９年1月号

## 『時間論 他二篇』

九鬼周造 著　小浜善信 編　岩波文庫

九鬼周造の最初の著作。パリで行われた2つの講演を中心に、九鬼の主要テーマのひとつである「時間」に関する論考をまとめた。短歌や俳句、音楽、絵画といった文学・芸術作品を手掛かりとした「日本芸術における無限の表現」や、文学を介して時間的構造を明示する「文学の形而上学」など九鬼独自の思想を詳細な注釈とともに解説。時間のもつ構造とその本質を、明晰な論理をもって問うた一冊。

**九鬼周造**：1888年、東京生まれ（1941年没)。欧州留学中にハイデッガー、ベルクソンらに師事。深いコンテクストで西洋哲学と日本文化への理解をもつ稀有な哲学者。著作『「いき」の構造』など。

1　マルティン・ハイデッガー（1889-1976)。哲学者。著作『存在と時間』は20世紀最高の哲学書と称され、各国の哲学者、思想家らに影響を与えた。

2　アンリ・ベルクソン（1859-1941)。哲学者。著作『時間と自由』『創造的進化』など。ノーベル文学賞受賞者。文化人にも多大な影響を与えた。

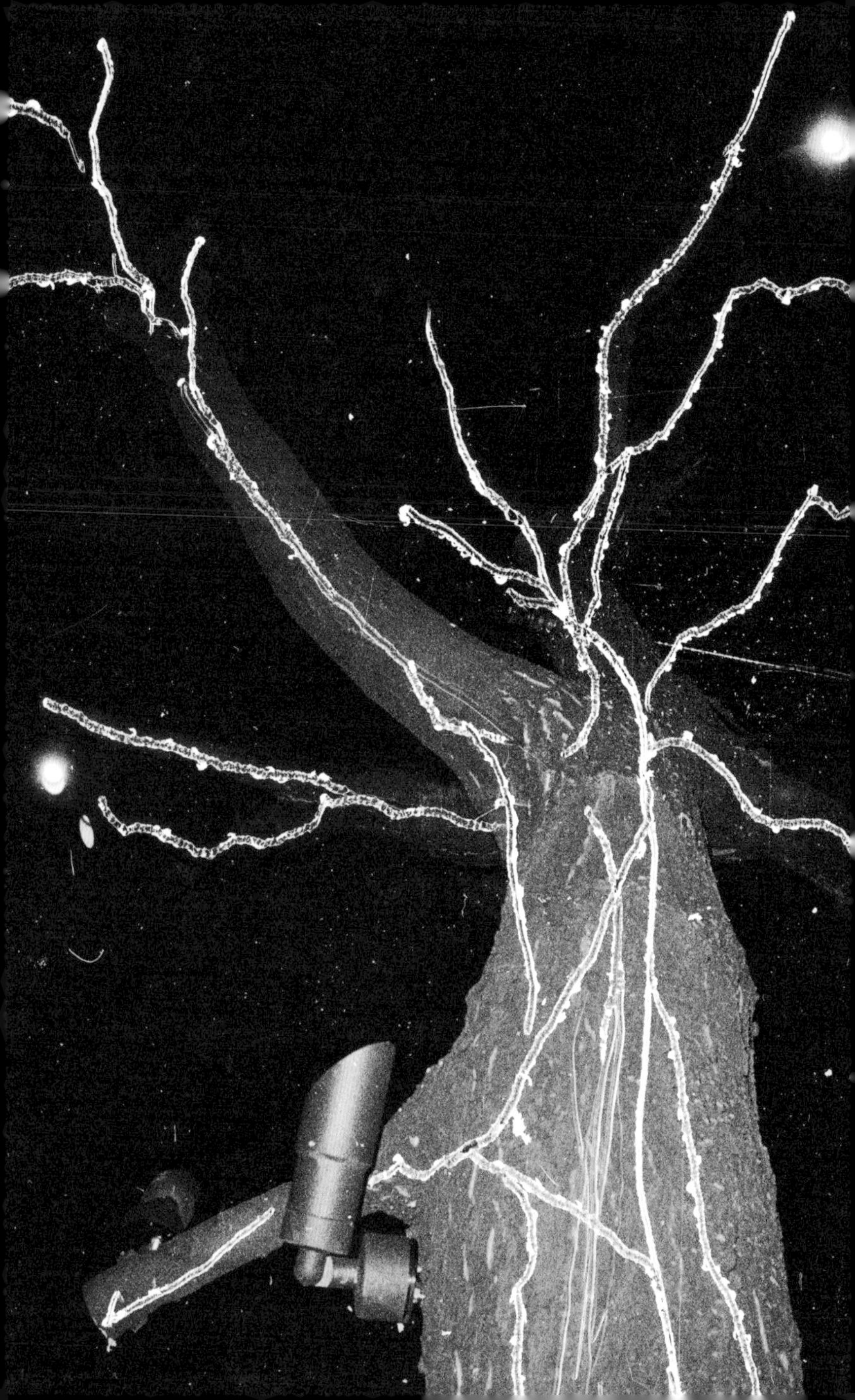

# Ernest Francisco Fenollosa

アーネスト・フェノロサ

*Art historian*
*1853–1908*

*#10*

# アーネスト・フェノロサ

僕の本棚には、何年も背表紙ばかり見ているのに、あるときふと読み始める本が少なからずある。フェノロサの『詩の媒体としての漢字考』もそんな一冊だった。50ページ弱の小論文、中国詩、日本の漢詩、漢字という文字のシステムの本質について考察した、今読んでも非常に示唆に富み、その洞察にいまだに大きな創造の可能性を秘めていると感じる論文だ。

この本はフェノロサの死後、フェノロサ夫人から手書きの遺稿として、詩人エズラ・パウンド[1]の手に渡り、その後、20世紀を代表する現代詩『荒地』を書いたT・S・エリオット[2]、ウィリアム・バトラー・イェイツ[3]やジェイムズ・ジョイス、戦後のビートニクスに至るまで多大な影響を与えることになる。つまりフェノロサの漢字に対するこの考察がなければ、現代詩が大きく変わっていたかもしれない。パウンドは、『漢字考』を目にして以来、終生フェノロサを尊敬し、他の遺稿の編纂にも取り組み続けた。また自身も漢字の読み書きを習得し、中国詩を英訳したうえ、漢字を自己の詩にも取り入れた。面白いことにパウンドは来日こそしていないが、日本の当時の詩人たちと交流をもち、なかでも日本のモダニズム詩の第一人者といってよい、北園克衛[4]とはかなりの量の手紙を交わしている。

フェノロサは、ヨーロッパの言語に、本来もっていたであろう自然との生き生きとした関係が失われたと感じていた。ところが、中国古代に生み出された漢字には、それがなおも息づいていて、アルファベットと異なり、文字自体に、動的で詩的な絵画性が内包されていることを見抜く。漢字は言語が本来的にもっている分節化という機能をもちながらも、自然のあり方としての、モノや人の動的な関係性を視覚的に表している。例えば〝有〟という漢字。これは月から何かを摑もうとしている人が表されていて、行為や運動、状態の変化、連続性が一文字の中に込められている。状態が形になり、その行為をすくい取ったひとつの絵が文字になっている。これを英語で表すとなると、主語、述語、前置詞、形容詞、目的語などを並べて説明しなければならない。パウンドほどの詩人ならば、その本質的な違い、ひとつの文字が表している動的本質に、さぞかし驚愕したことだろう。

ヨーロッパでは、そして近現代の世界では、あらゆるモノ・コトを微細に分節化して捉えようとする思考が支配してきた。例えばここに物体Xというものがあるとすると、人間は無意識にそれを分けて認識し、名前を付ける。丸いものは頭だとか、顔の中のふたつの黒いものは目というように。それが西洋では極端に推し進められたが、自然界にはそのように分離されたものは本来存在しないはずだ。すべてがつながっていて、影響関係を結んでいる。こうした見方は東洋には古くから多くある。それを思想化し、あるいは宗教にまで高めたのが、道教や禅だろう。分節しないモノの見方では、自分と対象との区別もない。主客もない。それは無心とも、無私といってもいい。言葉的な、分節的な思考を破壊すること、実はこれは禅の修行の大事な過程である。今、文節化されない音楽を模索する僕にとって、とても大きな刺激なのだ。

最後に、フェノロサは、古代の漢字の音は、現代の中国にではなく、日本における漢字の音読みに、より名残を留めていると指摘している。それがどれだけ学問的に正しいか僕にはわからないが、彼が日本に伝えられてきた漢字の響きに、そこに込められた動的で詩的な表象を感じ取っていたことがとても興味深い。またフェノロサ、パウンド経由で日本の能について知ったイェイツが、それに影響を受けた独自の舞台作品を書いたことも、忘れてはならない影響関係だ。

## 『詩の媒体としての漢字考』

アーネスト・フェノロサ、エズラ・パウンド 著／高田美一 訳著　東京美術

1878年に来日すると、すぐに日本伝統美術の美的感覚に魅了されたフェノロサは古美術品の収集・保存や研究を進め、文人や美術家、思想家たちとの交流を深めた。その後も東洋美術や哲学、文学の研究を続け、東洋研究に関する数々の著作を出版。本書では、パウンドとともに主語・述語で主に構成されている英語、ヨーロッパ言語と中国語や日本語など漢字を使った言語の思考方法の違いを主張している。

アーネスト・フェノロサ：1853年、米国生まれ（1908年没）。日本伝統美術に深く傾倒し、岡倉天心らと日本古美術品の素晴らしさを国内外で紹介。「日本美術の恩人」と称される。

1　1885年、米国生まれ（1972年没）。詩人・批評家。著作『キャントーズ』など。コクトーやストラヴィンスキーらと交流し、「失われた世代」の中心となる。

2　1888年、米国生まれ（1965年没）。英国の詩人・劇作家・批評家。著作に『荒地』など。のちに宗教詩に傾斜、『四つの四重奏』を発表。現代詩劇の先駆者に。

3　1865年、アイルランド生まれ（1939年没）。詩人・劇作家。英国神秘主義秘密結社黄金の夜明け団に所属。能の影響を受けた戯曲『鷹の井戸』も執筆。

4　1902年、三重県生まれ（78年没）。詩人・写真家・デザイナー。著作『単調な空間』など。視覚的な詩表現が評価され、コンクリート・ポエトリー運動の中心に。

# Shinichi Fukuoka

福岡伸一

*Biologist*
*1959-*

*#11*

# 福岡伸一

分子生物学者である福岡伸一さんは、生命が個として閉じられたものではなく、常に外と内が流動的に物質の交換を行っていて、しかもある一貫性を保っている状態、それを「動的平衡」[1]と呼んでいる。例えば同じ坂本龍一という名をもつ個体も、2年後には細胞はほぼ違うモノに置き換わっているのに、なお坂本龍一だと僕たちが言えるのは、その個体のもつDNAの情報と、人のもつ記憶による。記憶とは不思議なものだ。僕たちの脳の中に何かが倉庫の物のように格納されていて、呼びだしがかかるたびにそれらが持ち出されてくるわけではないことは、常識的に考えてもすぐにわかる。実際に脳の中に、ある匂いや、近親者などの映像はしまわれてはいない。あるとき、ある状態の神経伝達ネットワークの配線が、想起されるたびにトリガーされ、それを再生しようとする。しかし配線の間違いや再生のエラーなどは起こるだろう。それを担っている神経細胞もどんどん生まれ変わっていく。よって僕らはよく記憶違いや思い違いなどを起こす。
福岡さんの言うように、生命が個として閉じられていないとすれば、私と他人、主・客などと単純に物事を分けて考えるのはおかしい。例えば、腸の中には千種類以上の腸内細菌が棲息し、それらはさまざまな働きをして僕らの生に関わっている。つまり僕たち自身が多種共生体なのだ。

一見、人間の体は皮膚を境に内と外に分かれているようだが、より微細に見れば、物質の循環は皮膚の表面でも常に行われていて、どこが境なのかは厳密には言えないし、原子レベルで見れば境など存在しない。我々の体には常に外界の物質が流れ込んでは出ていく。そう思うと、個という考えがいかに言葉の上の、観念的で単純化されたものかと思う。世界の実相は、すべて流動的につながっていて、線では分けられない。

ところで機械的な生命観はいつ始まったのだろう。デカルト的世界観などとよく言われるが、より遠く遡るのではないか。生命を機械のように捉え、ある部品が壊れたら、同じ規格のものに取り替えればまた同じように動く、そして動力として外からエネルギーを注入しさえすればいい、単純化すれば、そんな生命観が近・現代に支配的になった。還元主義[2]といってもいい。近代科学は還元主義によって著しく発展し、私たちの生活も便利になった。しかし、それでいいのか、本当にそうなのか、果たしてそれが自然の実相なのか、という思いが僕の頭を離れない。もし生命が、渦のような流動的で動的なシステムならば、変化を拒む固い表面で外と内ばかりか、部品同士をも明確に分けられた機械のようなものとは、大いに異なると言わざるをえない。

『福岡伸一、西田哲学を読む』を読むと、ヘラクレイトス[3]の残したロゴスとフィシスという言葉が大事な役を演じている。論理や言語を指すロゴスは事柄を分けて考えていくこと、フィシスは自然そのものを言う。物理学を意味するフィジクスはフィシスが語源なので、もともとは世界を分割して考えない「自然」学だったはずが、いつしかロゴス的に発展してしまった。現代では、生活の隅々がロゴス的、人工的になり、残念ながら、フィシスを実感することは難しい。人工環境の中にあって、我々の体だけがフィシスなのだが。

僕はロゴス的ではないフィシスの音楽を作りたいと思っている。ところで、僕は何十年と分けることで成り立つ音楽をやり続けてきてしまった。音の高さと時間の座標である楽譜は、まさにロゴス。あれだけ好きで、尊敬もしているバッハもロゴスの人。今、僕は時を刻まず、フィシスである自らの肉体感覚により依存した音楽を作ろうと思っている。

2019年3月号

## 『福岡伸一、西田哲学を読む　生命をめぐる思索の旅 動的平衡と絶対矛盾的自己同一』

池田善昭、福岡伸一 著　明石書店

本著は哲学者・西田幾多郎による独創的哲学、西田哲学を、生物学者・福岡伸一が西田哲学の継承者である哲学者・池田善昭を指南役に読み解いていく。本著では、福岡氏の提唱する生命学と西田哲学の間には通底するものがあると感じている両者が、西田哲学を通して「生命とは何か？」とその本質に迫っていくまでの約1年間の対話や書き下ろし、往復メールなどが記録されている。

**福岡伸一**：1959年、東京生まれ。生物学者、青山学院大学教授、米ロックフェラー大学客員教授。科学書では異例の80万部を超えるベストセラー『生物と無生物のあいだ』や『動的平衡』など、「生命とは何か」を問う著書を数多く発表する。

1　福岡伸一が提唱する生命観。生命とは、その構成要素の絶え間ない分解と合成の最中にあり、その平衡は常に保たれているというパラダイムのこと。

2　複雑な全体を構成する要素を細分化して最小単位の要素を理解し、それらを再構成することで元の複雑な全体を説明しようとする手法のこと。

3　紀元前6世紀から5世紀に活動した自然哲学者。「万物流転説」と呼ばれる、この世は絶え間なく変化し続けているという思想を提唱した。

# Toru Takemitsu

武満徹

*Composer*
*1930–1996*

*#12*

## 武満徹

武満さんの音楽は西洋音楽、特に20世紀以降のフランス音楽、具体的にはドビュッシーとメシアンに大きく影響を受けている。と同時にインドネシアや日本の邦楽との出合いも重要だっただろう。

邦楽が目指すところの究極は一音ですべてを表現すること。琵琶の一撥、尺八のひと吹き、その中にすべてがある。そしてそれは無私、すなわち吹かないことに至る。尺八の理想は竹やぶの朽ちた竹に風が吹き込まれたときの音。これはまさにフィシス[1]が奏でる音ではないか。しかし見方を変えれば、フィシスの音は僕たちのまわりに常に満ち満ちている。耳を傾けさえすれば、それを聴くことができる。

さて、武満さんが邦楽器を自己の音楽に取り入れ始めたころ、僕は高校生だった。大学生になって、僕は友人と「日本回帰だ」「復古主義だ」という武満批判のガリ版刷りのビラを作り、コンサート会場に撒きに行った。最初は上野の東京文化会館小ホール、続けて、ある野外イベントにも行った。終演後、武満さんご本人が、「これを書いたのは君かね?」とビラを持って現れた。内心驚いたが僕はひるんではいけないと思い、文面通りの批判をしたが、どこの馬の骨ともわからない汚い学生に対して、懇切丁寧に30分ほど立ち話をしてくれた。

それから数年後、ピアニストの高橋アキさんのために若い作曲家が曲を書き、初演していただくというコンサートがあり、僕にも声がかかりピアノ曲を書いた。それを武満さんは聴いてくれていたのだ。しばらくして、新宿のあるバーで偶然お会いした。「ビラの君だろ?」と僕のことを覚えていてくれ、「君は良い耳をしているね」とおっしゃったのだ。作曲家にとって最大限の褒め言葉に、心の中で狂喜した。『戦場のメリークリスマス』を映画音楽として評価してくれていたことも、人づてに耳にした。

武満さんは著書『音、沈黙と測りあえるほどに ほか』の中で、「私はまず音を構築するという観念を捨てたい」「ブロック積みのような音楽の作り方はもうやめたいんだ」と書いている。邦楽器を使う使わないではなく、西洋の厳格な文節構造から逸脱した日本の、あるいはアジアの音楽に刺激を受け、早くから自己の音楽に取り入れようと模索していたことがわかる。

「自分は西洋音楽に培われた人間なので、その矛盾を矛盾として、相違を明らかに際立たせる。むしろ矛盾を自分の中に抱え込む。そして、最後に、沈黙と測りあえる音に、沈黙と同じように強いひとつの音に至りたい」。もし聴くことが音楽として十全であれば、誰も苦労して曲を作る必要はない。しかし音楽を紡ぎ出したいという欲求は僕の中に、紛れもなくある。と同時に、それを人工的なルールによって築き上げるのではなく、限りなくフィシスなものに近づけたい。もちろんこれは矛盾しているが、矛盾は矛盾として引き受けるしかない。

また、武満さんは、ミュージック・コンクレート[2]を実際に聴く以前から、「調律された楽音の中に騒音をもちこむ」ことも構想していた。そのようなヴィジョンをいったいどこから得たのか。

昨年出版された『武満徹の電子音楽』[3]によれば、日本最初のミュージック・コンクレート作品といわれる黛敏郎[4]の「X・Y・Z」に対し、武満さんは「具体音を音楽の素材にしただけであって、音楽自体は古い形式に依っている」と批判している。武満さんは具体音、日常音、自然音を音楽に取り入れ、それを単に従来の音楽の一素材にするのではなく、それらを取り込むことで、いまだ存在したことのない新たな音楽の創造を目指していたのだろう。武満さんがやろうとしていたことを、数十年遅れて追いかけている自分に、少し戸惑いを覚えるが。

## 『武満徹著作集〈1〉 音、沈黙と測りあえるほどに ほか』

武満徹 著　新潮社

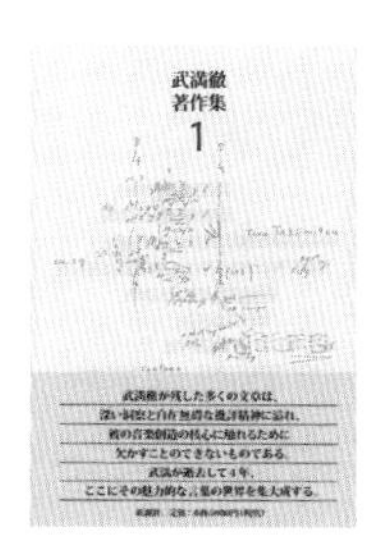


「ぼくは発音する音楽をつくりたいのです」。戦時中に音楽に目覚め、独学で学んだという武満徹。本書では「音」と「言葉」を軸に「自然と音楽」、「吃音宣言」や「音楽と生活」など、自身のルーツや思想、対話を美しい文章で綴り、その独自の音楽創造の根幹に触れている。序文は武満と親交の深かった瀧口修造と大江健三郎が執筆。

**武満徹**：1930年、東京生まれ（96年没）。作曲家。67年作曲の『ノヴェンバー・ステップス』でその評価を不動のものに。独特の音楽性は「タケミツ・トーン」と呼ばれ、世界中の音楽家に影響を与えた。

1　自然、ありのまま、物事の本性をいう。「成長する、生育する」といった意味をもつ言葉から派生したとされる。

2　40年代に作られた電子音楽の一種。声や街、自然の音を録音し、機械的・電気的に処理して創作される。具体音楽とも訳される。

3　電子音楽研究の第一人者・川崎弘二が、電子音楽＝テクノロジーを糸口に、武満の全生涯と作品を検証した一冊。

4　1929年生まれ（97年没）。作曲家。戦後の現代音楽界に多大な影響を与えたひとり。86年には紫綬褒章を受章。

# Nikolai A. Nevsky

ニコライ・ネフスキー

*Orientalist*
*1892–1937*

*#13*

## ニコライ・ネフスキー

僕は10代後半から人類学や民族学に興味をもち、なぜか日本人の単一民族説は絶対に間違いだと確信していた。地図を見れば日本は東の果てに位置し、長い歴史の中で、北から西から南から、陸づたいに、あるいは島づたいに、この列島に辿り着いた部族はたくさんあるはずだ。そして今の日本語に通ずる言語は、縄文中期あたりにかけて、交易を通してさまざまな部族の言葉が混じり合い、形成されていったに違いないと思っている。

岡正雄[1]の『異人その他』は好きな本だ。岡は柳田国男に大きな影響を受けた民族学者で、その岡が編纂しているのと、興味をそそる詩的なタイトルに惹かれて、ニコライ・ネフスキーの『月と不死』を手に取った。読むうちにその著者の生涯や業績に対する驚きは大きなものになっていった。

1892年、帝政ロシアのペテルスブルク近郊で生まれたネフスキーは日露戦争で巨大なロシア帝国に歯向かう新興国、日本に興味をもつ。大学で日本語を学び、研究を深めようと留学を決心する。来日するとすぐに柳田国男や折口信夫[2]らが集まる会に参加し、流暢な日本語と鋭い質問で皆を驚かす。ネフスキーは、柳田のことを自分にとって唯一の先生、折口のことを自分の兄と呼ぶまでに彼らのことを尊敬もし、その学問も吸収していった。約14年の滞在の間、「月と不死」をはじめ多数の論文を発表する。東北、北海道から宮古島まで自ら足を運び、日本の古語、宮古島方言やアイヌ語を研究し、人一倍鋭敏な聴覚を最大限生かしてその成果をまとめていった。なぜ彼はアイヌ語や宮古語に興味をもったのか。そのような周縁部に日本語の古いかたちが残っていると信じ、日本語の成り立ちを読み解こうとしたからである。言語学、民俗学、文化人類学などあらゆることに関心をもち、各地の信仰や神話、習俗などを調べた結果が「月と不死」となった。

なぜ、月と不死が関係しているのか。一般的に考えると、太陽が生命の象徴、月が死の象徴ではないだろうか。ネフスキーは中国人や日本人が月を愛で、謳うことに驚く。ロシア人からすると、生命をもたらしてくれる太陽こそ謳われるはずなのだ。月はネガティブで冷たく、陰鬱で陰がある。しかしよく考えると、月は潮の満ち引き、つまり水と関係し、女性、血に関係してくる。海、水、女性、血。海は生命の源であり、女性が生命を司る。月を巡って生命のすべてがつながる。月は死とともに再生の象徴であり、それを宮古群島の伝説をもとに解き明かしていく。日本人研究者にはない彼の世界的視野は、日本人の研究者に大きな影響を与えた。柳田は多くのページをネフスキーの回想にあて、日本の文化人類学のパイオニアである石田英一郎[3]は「月と不死」という題で文を書き、『桃太郎の母』という著書をネフスキーに捧げている。彼は日本の民俗学、言語学に影響を与えたのみならず、文化人類学の礎ともいえる恩人だ。

　ネフスキーは約14年の日本滞在後、帰国し日本語を教えながら13世紀に消えた謎の国の言葉、西夏語の研究に没入する。ところが1937年、研究半ばにしてスターリンの粛清にあい、日本人妻のイソとともに処刑されてしまう。なんという悲劇、損失だろう。その後20年して彼の名誉回復がなされ、さらに3年後、ようやく主著『西夏言語学』が刊行される。

　言葉には、それを発語した人たちの宇宙観や自然観がまるごと入っている。言語を探究することは、その人たちの信仰から生活すべてに触れることだ。私たちが今話している言葉の中に、縄文時代につながる言葉の「音」が混じっているかもしれない、などと僕はよく想像する。僕の音への興味とネフスキーの探究が奇妙に重なり合って、創作のインスピレーションにつながっていく。

２０１９年5月号

## 『月と不死』

ニコライ・ネフスキー 著　岡正雄 編　加藤九祚 解説　平凡社

ネフスキーが日本語で書いた日本民俗学に関する論文と書簡を中心に編纂した、唯一の著作集。著者とも親交の深かった岡による編集と、加藤九祚の解説とともに、著者が採集した伝説や日本人独特の月に対する感性、民間信仰、生と死、再生、自身の生涯に関してなどがまとめられている。解説者の加藤は、ネフスキーの学問と生涯を感動的に綴った著書『天の蛇』（河出書房新社）も出版している。

**ニコライ・ネフスキー**：1892年、ロシア生まれ（1937年没）。東洋学者。1915年の来日以降、約14年にわたりアイヌや沖縄などの日本民俗、文化、言語を研究。日本人研究者へも影響を与えた。死後、レーニン賞を受賞。

1　1898年生まれ（1982年没）。民族学者。著作『古日本の文化層』など。「種族文化複合」を提唱し、日本文化の研究において高く評価された。

2　1887年生まれ（1953年没）。民俗学者・歌人。著作『古代研究』など。国文学、民俗学、芸能史、神学など分野を超えて広範囲にわたり探究した。

3　1903年生まれ（68年没）。文化人類学者・民族学者。著作『河童駒引考』など。日本の文化人類学の確立・発展における重要人物のひとり。

# Susumu Kudo

工藤進

*Southern French scholar*

*1940–*

*#14*

## 工藤進

詩人の松井茂くん[1]とは言葉と音楽について、よくやり取りをしている。去年、松井くんが工藤進という、それまで全く知らなかった言語学の研究者の存在を教えてくれた。そして、この工藤の著書『日本語はどこから生まれたか』は僕のもっていた言葉についての概念を大きく覆してくれることとなった。

工藤の考えの中心に声がある。声から人間の言葉も音楽も始まっているからだ。その昔、言葉と音楽に分かれ目はなく、言葉はまるで歌うように話されていただろうという説がある。今でも母親は幼児に歌いかけるように話すし、遠くにいる人間への呼びかけは、「オーイ」とまるで歌のようになる。それに対して言語を可視化した文字は、人間の歴史の中ではごく最近生まれたものと言っていい。最古の文字はメソポタミア文明の楔形文字や中国の漢字の起源になるもの、それらは遡っても今から約8000年前。ホモサピエンスが生まれたのが

20万年前だとすると、実に最近の出来事なのに、文字文化が僕たちの思考に及ぼす強制力はとても大きいように思える。面白いことに、工藤によるとホメーロスの[2]『オデュッセイア』が書かれた時代には、文字は軽く見られ、声による表現こそが尊重されていた。またヨーロッパの中世の修道院では、聖書は声を通して聞くものであって読むものではなかったというのだ。印刷技術の発明によって、我々の思考方法が大きく変化したのだろう。このように見ると、文字以前の声による伝達や表現の時代がはるかに長く、近代以降我々が何を失ったのか、よく考えることは重要だと思える。

現在、世界に数千という言語があるとしても、すべての人間はアフリカのある一家族から始まっているのだとすると、元はひとつの言語を話していた。きっとアフリカの他の部族は異なる言語を話していただろう。たまたまアフリカを出たある部族の言語が、現在のあらゆる言語の元になっているのだから不思議だ。まるで違う系統の言語と考えられていても、そこには共通の何かがあるはずだ。

ところが、近現代までインド・ヨーロッパ語である印欧語[3]とそこに属さない日本語は全く違う言語であると思われてきた。印欧語の大きな特徴として人称、数、格などによって語が構造的に変化することがあり、そこが日本語との決定的な違いであり、日本語は論理的ではない言語とまでいわれてきた。しかし、この本では、その特徴である人称や数による語の変化が必ずしも印欧語の古い形にあったわけではないというのだ。これには驚いた。印欧語の代表的な古語はラテン語、ギリシャ語、サンスクリット語。それらに共通の母型があり、それを印欧祖語と呼び、研究も進んでいるが、日本語、韓国語、琉球語、アイヌ語などの祖語[4]の研究は進んでいない。工藤は印欧語になった言語と日本語になった言語はユーラシアで共通の母体から分かれたのだろうという。人類の元がひとつだったとすれば、すべてがそこから分かれて変化したものだというのは当たり前にも感じるが、今までの常識があまりにも強く、僕にとっては驚きというほかない。

僕たちがあることを言いたいとき、ある特定の響きの連鎖でないとしっくりこない、変だと感じる独特のものがある。それは大げさに言えば、その人たちの世界観、生活感を表す。文法などはずっとあとになって学者が整理したにすぎない。響きは列島で、大陸で、あるいは同じ国でも山をひとつ越えれば異なってくる。風土や生活習慣など無数のファクターによって変化していく。

アフリカから出てきた僕らの祖先が発していた響きを、今も僕たちは共有しているかもしれない。それは子守唄や童歌の中に潜んでいるのだろうか。

2019年6月号

## 『日本語はどこから生まれたか』

工藤進 著　ベスト新書

近年、ヒトの起源は、15万年から20万年前のアフリカ中北部とされる。従来の語彙比較に留まらず、言語の根本的特徴に着目すると、日本語も古印欧語の構造と類似していることがわかった。言語の起源はひとつの祖語にあり、原日本語も古印欧語とつながっていたと考えられるのではないだろうか。「日本語の起源はどこにあるのか？」という疑問に言語系統論と言語起源論の融合という新たな可能性を見る、タミル語起源説以降の壮大な新説。

**工藤進**：1940年、秋田県生まれ。明治学院大学教授、リモージュ大学名誉博士。言語論、仏語仏文学を専門に教壇に立つ。主な著作に『声』、『南仏と南仏語の話』など。

1　1975年生まれ。詩人・情報科学芸術大学院大学准教授。著作に『同時並列回路』『量子詩』。近年ではサウンドデザイナーや映像作家と共同制作も行う。

2　古代ギリシアのアオイドス（吟遊詩人）であり、「トロイの木馬」の話などを含む叙事詩『イーリアス』や『オデュッセイア』の著者とされる人物。

3　インドからヨーロッパにかけて分布する言語。同じ起源をもつゲルマン語、ロマンス語、フランス語など。これらの言語グループは印欧語族と称される。

4　ある単一の言語が時代の変化とともに異なる複数の言語に分裂したとき、その元となる言語のこと。同じ祖語から分かれた言語は語族と総称される。

# Andrei Arsenyevich Tarkovsky

アンドレイ・タルコフスキー

*Film director*
*1932–1986*

*#15*

# アンドレイ・タルコフスキー

タルコフスキーについては70年代に、東京の首都高速が延々と映し出されるというので話題になった『惑星ソラリス』を観た程度の知識しかなかった。80年代の六本木に「WAVE」というビルができた。その地下に「シネ・ヴィヴァン」[1]というミニシアターがあり、選りすぐりのアーティスティックな映画を上映していた。第一回公開のゴダールの『パッション』以来、ずいぶん通ったものだ。そこで観たタルコフスキーの自伝的映画『鏡』[2]に強くひっかかるものを感じ、数年後に『ノスタルジア』[3]、そして遺作となる『サクリファイス』と、彼の残した作品の半分以上を、そのころ観た。実に54歳という若さで亡くなった彼は、長編映画を7本しか残さなかったが、どれもかけがえのないものだと思う。武満徹さんは生前からタルコフスキーへの賛辞を惜しまず、その死を悼んで『ノスタルジア――アンドレイ・タルコフスキーの追憶に』というオマージュを書いた。

僕が最も関心をもったのはタルコフスキーの音の扱い方だった。『ノスタルジア』で数多くの水の音が緻密にデザインされているのは有名な話だけれど、彼の映画では水の音に限らず、風の音、人間の足音など、さまざまな音が非常に音楽的に扱われている。彼は、音が適切に扱われているならば、いわゆる映画音楽はいらないと書いている。これには僕も完全に同意する。

さらに、タルコフスキーは単に音の扱いが音楽的というだけではなく、映像自体を音楽として設計し、作曲する感覚で映画を作っているのではないか。時間の持続の中の彼の映像的運動が、僕に音楽的感動を与えるのだ。彼は時間の中における物事の事象の生起に、非常に敏感だ。

著書『Sculpting in Time』の中で、彼は「時間の中で映像と音を彫刻するように形にしていく」と語っている。

ひとつ例として僕がとても好きなのは、『鏡』の冒頭部分、草原を前にして、若き主人公の母が柵に腰掛け煙草を吸っている。遠くの森を抜けて草原を見知らぬ男が歩いてくる。男、近づき話し始め、煙草を求める。ふたりで柵に腰掛けるが、柵が壊れ倒れる。男は笑い出し、そして去っていく。突然風が吹き渡り草原を揺らす。男は振り返り立って母を見る。風がまたゆっくり草原を揺らし、男は去る。

これらのすべての動き、音が音楽的だと思う。男の歩き、母との会話、草原のなびき、揺れる小枝などなど、それらの時間的な設計がひとつのフーガのように緻密に作り上げられていると感じる。タルコフスキー個人のなんとも説明のつかない時間感覚で、役者、スタッフ全員を動かす。素晴らしいが難しい仕事だ。

映画はある時間の中で複数の出来事がつながっていくがゆえに、時間というリニアな線上に乗せていく必要があり、それは音楽も同じだ。時間の中の事象のつながりを外的な形式ではなく、内在的な欲求に従い設計していくこと、それをタルコフスキーは詩的論理と呼び、説明のつかない自分だけの感覚を信じて、映画を作った。この詩的論理という考えがとても刺激的で、アルバム『async』のテーマのひとつでもあったし、今、制作中の舞台作品への大きなヒントだ。線的、リニアな時間というものに疑問をもつ僕は、詩的論理としての時間の中にその作品を溶け込ませたいと願っている。それは例えば夢の時間のようなもの。夢の中で起きた50年が、目覚めるとたったの5分だった、というようなことは誰でも経験することだろう。タルコフスキーの『鏡』はまるでその夢の中のように、時間は伸び縮みし、錯綜する。

タルコフスキーの映画にはその時々で気づかされることが多い。僕の舞台作品が完成するまでに、あと何度、彼の映画を観ることになるのだろうか。

２０１９年7月号

## 『Sculpting in Time: Reflections on the Cinema』

アンドレイ・タルコフスキー 著　Univ. of Texas Pr; Reprint版　ペーパーバック

アンドレイ・タルコフスキーによる映画哲学から芸術論、さらには文明論にまで触れた、彼の映画観を知るうえで重要な映画論集。映画を娯楽としてではなく、芸術作品として追求し続けた彼独自の哲学・理論を絵画や文学、演劇などと比較し、さまざまな側面から展開することで彼の考える「映画らしさ」を浮き彫りにしていく。また本書内で触れる映画作品から抜粋されたカットも多数掲載されている。現在は絶版のため入手困難だが、ペーパーバックはAmazonなどで入手可。

アンドレイ・タルコフスキー：1932年、ロシア生まれ（86年没）。映画監督。62年に長編デビュー作『僕の村は戦場だった』でヴェネチア国際映画祭金獅子賞受賞。「映像の詩人」と呼ばれ、世界中で高い評価を受け続ける。

1　かつて六本木「WAVE」の地下でジャン＝リュック・ゴダールの『パッション』（1983年公開）の上映とともに開館した、ミニシアターの草分け的存在のひとつ。

2　1975年公開。タルコフスキーの自伝的映像詩。主人公の“私”が一人称形式で物語を展開し、その思いや感情を浮かび上がらせる独特の演出を採用。

3　1983年公開。長編6作品目。自身も見つけたときは驚いたという、トスカーナ地方を中心とした美しい情景とともに、ある詩人の愛と苦悩を描く。

# Junichiro Hashimoto

橋元淳一郎

*Science fiction writer*
*1947–*

#16

# 橋元淳一郎

来年末に発表する予定のシアターピースのテーマを「時間」と決めたこともあり、僕はこのところ、時間に関する書物を読み漁っている。その中で橋元淳一郎さんの『時間はどこで生まれるのか』という本に出合った。橋元さんは、大学で物理を学んだ方で、今は受験生のカリスマだそう。相対性理論や量子力学からみる時間を扱った本としては、とてもわかりやすくまとまっていると思う。

現代は科学と哲学が交わることがなくなってしまったといわれている。哲学者の多くは現代科学の時間や空間の最新の考え方を知らず、一方、科学者は時間のことなどは自明なこととして、それを哲学的に考えようとする人は少ない。しかし過去に遡ればアリストテレス[1]もカント[2]も、科学者であり哲学者だった。哲学と科学はイコールだったわけで、著者も現代科学が教える時間や空間の考え方を知らずに時間を議論をすることはできないと言っている。

時間について、アウグスティヌスは『告白』[3]の中でとてもいい表現をしている。
「時間とはなんであるか。だれもわたしに問わなければ、わたしは知っている。しかし、だれか問うものに説明しようとすると、わたしは知らないのである。」(服部英次郎訳)

これは現代でも変わらないのではないか。ほとんどの人は、時間は当然存在するものと思って暮らしている。しかし改めて、「時間とは何か?」「なぜ時間は過去から未来に一方的に進んでいくのか?」と聞かれると答えられない。

数学に全く疎い僕の読解だということを断ったうえで、相対性理論の教える時間とはどういうものだろう。そこでは時間は何者にも影響されない普遍的な絶対時間ではなく、空間に著しく影響され、空間が変容すれば時間も変容する、空間の一次元なのだ。極端に言えば、目の前にいるあなたと僕は、空間的位置が異なるので、違う時間が流れていることになる。静止している僕と、車に乗って時速100キロで走っている彼とでは、異なる時間の中にいる。僕の時間は他の誰とも分かち得ない。そんな孤独な宇宙の唯一の基準とは何か。それは光だ。光の速さは不変だとされ、「わたしの」時間は光の速さに対しての相対的時間となる。仮に光の速さに達する乗り物に乗って移動したとすると、そこでは空間的な距離も時間も消滅する。なんとも不思議だ。

次に物質を構成しているとされる原子や電子を扱う量子力学が教える時間とはどういうものだろうか。そのようなミクロの世界では、私たちが「ある」と思っている熱や色、位置や速度とともに時間も消滅する。しかも因果律や排中律さえない。通常何かが原因で事は起こる。レンガが落ちてきたので、当たって死ぬ、というように。その前後関係は明らかだ。ところがミクロの世界では時間の前後関係が特定できない。なぜならある事象の起こる位置も時間も測定できないからだ。その男が死んでいるのか生きているのかもわからない。同時にふたつの背反する状態があるとしかいえない。これを表すのに有名な言葉が「シュレーディンガーの猫[4]」だ。そんなミクロな粒子によって私たちの体も宇宙もできているのかと、奇妙な気持ちにならざるを得ない。

さらにこの本では、それでも私たちが感じている時間はどこから起こるのかという問いに対して、著者なりの答えを提示している。それは生命の発生と進化からだという。この宇宙はなぜか秩序あるものは常に無秩序に向かうようにできている。生命のような秩序を維持するのは難しい。そこに生命維持のための意思が働く。この意思が時間を生むというのだ。

僕はといえば、ますます時間は存在せず、人間の脳が作った虚構だという気持ちが強くなっているのだが。

2019年8月号

## 『時間はどこで生まれるのか』

橋元淳一郎 著　集英社新書

「過去から未来へと一方向に流れ、予知できない「時間」とは何か？ なぜ過去に戻ることができず、未知なのか？ そんな時間の本質を明らかにしようと試みる。相対性理論や量子論といった物理学、科学の知見から解き明かされた物理学的時間と、日常で体感する人間的時間を統合した時間論が展開される。

橋元淳一郎：1947年、大阪生まれ。SF作家、相愛大学名誉教授。わかりやすさとユニークな解説で生徒からの信頼も厚く、参考書や『われ思うゆえに思考実験あり』『人類の長い午後』など著書も多数。

1　紀元前4世紀にギリシアで活動した哲学者。政治、論理学、物理学などあらゆる学問の分類・統括をし、「諸学の父」と呼ばれた。著書に『形而上学』など。

2　1724年生まれ（1804年没）。哲学者。観念論を築いた著書『純粋理性批判』『実践理性批判』『判断力批判』など、近代哲学に多大な影響を与えた。

3　キリスト教哲学者、教父として活動したアウグスティヌスの著書。著者が過去に犯した過ちを告白し、キリスト教に改宗した過程と信仰論を説いた自伝書。

4　オーストリアの物理学者、エルヴィン・シュレーディンガーが1935年に発表したもの。猫を想定した思考実験によって量子力学のパラドックスと問題点を提起した。

# Takeo Okuno

奥野健男

*literary critic*
*1926–1997*

*#17*

# 奥野健男

奥野健男は僕が少年時代からファンだった吉本隆明の盟友であり、吉本と同じく東工大で化学を修め、企業の研究員としても活躍していた方。しかし僕が読んだのは『三島由紀夫伝説』[1]ぐらい。ある日『深層日本帰行』が突然我が家に送られてきた。送り主は津田塾大学の早川敦子先生[2]。奥野健男とは遠縁にあたる。早川先生にはどう感謝したらいいかわからない。というのもこの本には僕の興味と驚きが詰まっていて、奥野氏と生前にお会いしてお話ができていたらどんなにかよかっただろう、と痛切に思ったからだ。

奥野健男の評論の中心は無頼派のふたり、太宰治と坂口安吾。僕も若いときは好きでよく読んだ。しかし太宰を津軽という風土と強く結びつける彼の視点は全く新鮮だった。そして津軽に行きたくなった。行かなくてはいけないと思った。ここに描かれた津軽はまだ残っているだろうか。

津軽に残る縄文文化との関連性。いわゆる近畿の洗練された「和」の文化ではない縄文的なものが、北海道、東北、沖縄、山岳地帯、半島など、日本各地にまだ色濃く残っている。これらは言ってみれば大和政権に完全には駆逐されなかった場所。津軽はそのひとつだ。大和政権に抵抗して残った地域だけに、中央の大和とは違うという意識が戦後のこのころでも残っていたと記されている。それは言葉によく表れていて、同じ日本語なのに響きも単語も明らかに違う。太宰治は近代日本文学の言葉の天才ともいえる人なのに、日本語を大和語という、いわば外国語として学び、磨きをかけたという。なるほど日本文学を豊かにしていった小説家や詩人たちは中心から離れた場所で生まれ育った人が多いことに気づく。室生犀星は金沢、埴谷雄高は福島、萩原朔太郎は群馬。外側から見る視点、差異を感じる感性が言葉を豊かにしていった。

この連載の第14回で取り上げた、工藤進の著書『声』にある、フランス語を豊かにしたナポレオン、プルーストといった人たちが、実は純粋なフランス語話者とはいえなかったということを思い出す。なるほど言葉の発達とは面白い。

太宰は日本だけでなく、海外でも多く読まれた。それまでの日本文学はオリエンタルでエキゾチックなものとして受容されていたのに対し、太宰は、都会における個人の孤独、自我の悩みといったものが共感を得た。しかしなぜ孤独や悩みが出てくるか、それは太宰が津軽人だったことが大きい。太宰は東京で東京人以上に洒落者になろうとし、より異邦人の意識が膨らみ、自我の葛藤が生まれていった。津軽というローカル性が普遍的な現代性というものを生んだのだ。

奥野は日本人の死生観にも触れている。川端康成の小説は死者の世界を描き、太宰治は彼自身がイタコであり、死の世界から語りかけていると考察する。そして三島由紀夫についても。三島にとっては戦時中の死の世界がリアルだった。それが戦後に否定されてしまったが、三島はそこにリアリティを感じることができず、常に死の国に帰りたいという願望をもっていたのだろうと奥野は推測する。

さらにこの本は坂口安吾に関しても多くのページを割いている。それも彼の小説ではなく、彼の古代史研究について。戦後、非常に反響が大きかった江上波夫の騎馬民族征服王朝説[3]と非常に似た、膨大な歴史についての評論を、昭和25、26年の時点で安吾は多く世に出していたのだ。これは僕には驚きだった。そこには日本の古代史をひっくり返すようなことが書かれている。安吾は地方に足を運んで綿密に調査していたのだ。

この本との出合いで、太宰も三島も、川端も安吾も読み直したくなっている。僕は今、ますます広がる関心と限られた時間の狭間で葛藤を繰り返している。

2019年9月号

## 『深層日本帰行―ヤポネシア史観の形成へ』

奥野健男 著　毎日新聞社　古書

本著の刊行までは、専門とする"文学"から逸脱しないよう意図して執筆してきた著者が、日本の風土や歴史への抑えがたい関心から著作『文学における原風景』以降、各地への旅や自己史を辿るかたちで、文学論から逸脱して書いた文章を集めた一冊。化学技術者としても高く評価されていた著者のリアリスティックな視点と文学者的なロマンティックな思考が重なった、日本の文化、歴史への多極的な観点が窺える。

**奥野健男**：1926年、東京生まれ（97年没）。文芸評論家。大学在学中に発表した『太宰治論』で注目される。著書に『文学における原風景』など。数多くの賞を受賞し、いまだ高い評価を受け続ける評論家のひとり。

1　三島由紀夫と親交のあった著者による三島作品の評論と、三島の人生とその人物像を個人的な逸話とともに浮き彫りにした一冊。芸術選奨文部大臣賞受賞。

2　1960年生まれ。英文学者、津田塾大学学芸学部教授。津田塾大学大学院文学研究科博士課程修了。著作『翻訳論とは何か―翻訳が拓く新たな世紀』など。

3　大陸から渡来した騎馬民族が新しく打ち立てた国家が、日本国家となったという学説。1948年に考古学者の江上波夫が提唱し、論争を巻き起こした。

# Hou Hsiao-Hsien

侯孝賢

*Film director*
*1947–*

*#18*

## 侯孝賢（ホウシャオシェン）

侯孝賢といえば、台湾における黒澤明のような存在。その自伝的な映画三部作、特に『童年往時』がとても好き。歴史もの三部作も。なかでも『百年恋歌』には本当に驚かされた。

しかし、僕が最初に観た侯の作品で、今でも一番好きな『悲情城市』[1]が、国民党による大量弾圧という台湾の痛みを伴った歴史を巡る映画であるがゆえに、その扱いを巡って台湾内では批判的な意見もあることを、この本で知る。侯孝賢は僕の5歳年上。中国の国民党が台湾の人々を弾圧する二・二八事件[2]が起きた1947年に中国広東省で生まれ、1歳のとき、一家で台湾に移り住んだ。この符合は侯の心と体に深く刻印されていることだろう。

僕たちがある作品を単によい映画だと思って観ること自体、間違いだとは思わないが、それだけでは侯孝賢の、あるいは広く台湾の映画を理解したことにならないのではないか。例えば侯や彼の盟友、エドワード・ヤン[3]の作品に登場する日本家屋。僕は当初、ただ「オヤッ」

と思うだけで、その意味はわからなかった。日本と大きく関わる台湾の近代史、またそれ以前の明、清との関わり、その地政学的位置、歴史、言語、社会の成り立ちをより知ると、映画は違うものに見えてくる。九州ほどの大きさの島に、多様かつ複雑に重なり合う社会を知れば知るほど、台湾とその人々への愛は深まってくる。といっても僕などは、そのほんの上辺をなでているに過ぎないが。

侯孝賢の映画のスタイルについては改めて僕が言うまでもない。説明がない、省略も多い、長回しが多く、カメラはあまり動かない。そして僕の最も好きな点は、ペースが極めてゆっくりであること。事件も起こらないし、事件どころか何も起こらないこともある。歴史を描くとき、人は普通、時間という線上に点の楔を打つような思考に陥りがちだが、侯は楔を打ち込むのではなく、歴史に翻弄される人々の日常の時間をそのまま取り出そうとする。人々の日常から歴史が見えてくる。父が亡くなり兄が銃殺され、多くの悲劇が起きても、家族はごはんを食べる。残された祖父は今日もごはんを食べる。カメラを引けば引くほど主要人物や事件への焦点はぼやけ、日常が映り込み、ペースは遅くなり、起承転結は消えていくように感じられる。侯は人間の日常の時間の流れ、中国語の「時光」——なんと含蓄のある言葉だろう——を描き出すことに主眼を置いているように思う。

僕が意識的に映画を観るようになったのは１９６０年代半ば、その始まりはゴダールと大島渚だった。59～60年ごろ、それまでの映画界に反旗を翻したヌーベルヴァーグがフランスや日本で起こっていた。同じアジアの国といっても、日本にはかなり厚い映画作りの蓄積があった。

80年代初め、エドワード・ヤンがアメリカで映画を学んで帰り、台湾に新風を吹き込んだことが、侯や若い映画人を刺激した。彼らは、それまでの台湾の商業映画とは異なる新しい作品を撮り始め、台湾ニューシネマと呼ばれるようになる。台湾で映画を撮ることの厳しさ、難しさ。映画制作のプロの少なさ、偏狭な伝統、資金不足、ゆえに素人を俳優として起用することなど、実はその現実的な事情すべてが侯たちの新しい映画のスタイルを生み出すことになった。

侯孝賢の映画の根底に流れるのは、台湾人としての自己のアイデンティティを問うことではないか。それはイコール、台湾とは何か、と問うこと。複雑な民族構成、言語、ルーツをもっているだけに、答えは一人一人異なるだろう。国民文学という言葉があるけれど、彼の映画は台湾の国民映画だと言っていいのではないか。台湾とは何か、と侯孝賢は問い続けている。

２０１９年10月号

## 『侯孝賢の詩学と時間のプリズム』

前野みち子・星野幸代 ほか 編　あるむ

台湾、香港、アメリカ、カナダ、日本の論者による、侯孝賢映画に見られる叙事のスタイルへの論考を全7篇にわたり掲載した書。侯孝賢と脚本家・朱天文を招いた愛知芸術文化センターでのシンポジウムの記録、関西大学での講演会の記録も集録されている。論者それぞれの視点と、作者自らの言葉で語られる作品への視点とがひとつにまとめられた、読者の侯孝賢映画への思考を拡げる一冊。

**侯孝賢**：1947年、中国生まれ。映画監督、プロデューサー。80年代の台湾ニューウェーブの代表的存在。89年に発表した映画『悲情城市』でヴェネチア国際映画祭金獅子賞を受賞し、国際的な評価を確立した。

1　日本の台湾統治が終わる1945年8月15日から49年の国民党政府樹立までの激動の4年間を舞台とした映画作品。当時の台湾社会をシリアスに描く。

2　1947年2月28日に台湾で起きた大規模抗争。台湾全土を巻き込む暴動と国民党政府による無差別な拷問・処刑により数多くの負傷者、死者を出した。

3　1947年、上海生まれ（2007年没）。映画監督。1986年『恐怖分子』で金馬奨最優秀作品賞受賞。カンヌ国際映画祭監督賞受賞など台湾映画界の中心人物。

# Edward Yang

エドワード・ヤン

*Film director*
*1947–2007*

*#19*

## エドワード・ヤン

1982年、台湾がまだ軍事独裁政権下の中、エドワード・ヤン、タオ・ドゥーツェン、クー・イーチェン、チャン・イーの競作映画『光陰的故事』が公開され、「台湾ニューシネマ」が始まった。37年ぶりに台湾の戒厳令が解除されたのが1987年。その5年前に台湾の新しい映画の潮流が生まれたことになる。台湾だけでなく、世界は大きく動いていた。同年、韓国は民主化し、その数年後にはベルリンの壁、そしてソビエトが崩壊していく。それまで大陸との緊張という体制が支配していた台湾社会も、冷戦の終わりによって、資本主義経済の流入の速度が大きく上がった。

1991年、ヤンが『牯嶺街(クーリンチェ)少年殺人事件』[1]を発表する。過去の台湾社会を振り返ること、アイデンティティを問うこと、それは国民党支配時代にはできなかったことだ。『牯嶺街少年殺人事件』にこの時代を象徴するようなシーンがある。家族で食卓を囲んでいると、隣の雑貨店から橋幸夫の「潮来笠(いたこがさ)」が流れてくる。母親が、「8年間日本と戦って、今は日本家屋に住んで、日本の歌」と慨嘆するのだ。「潮来笠」は当時日本で大ヒットしていたので、僕の耳にも強く残っているが、まさかあの歌が台湾で、と複雑な気持ちだ。

1947年から49年にかけて、何百万という軍人、文化人、技術者が大陸から蒋介石とともに台湾に移住してきた。彼らの住まいとして、残されていた日本家屋も利用したのだ。ヤンは観察者だ。自己の少年時代を注意深く眺め、その社会のさまざまな相貌を設計する。

ヤンは90年代半ばから、がらりと作風を変えた。グローバル資本主義の急速な流入によって、都市と人々の生活の速度が劇的に上がったのだ。『エドワード・ヤンの恋愛時代』[2]『カップルズ』[3]に描かれた台北は、『牯嶺街』のそれとは大きく異なる。

2000年、ヤンの最後の映画となった『ヤンヤン 夏の想い出』[4]では、前2作で取り上げた激変する台湾の姿から少し引いて、静かな筆致で家族三代の物語を描く。小津安二郎の映画が戦後、崩壊していく家族制度の中で、不安定ながらも個と個とのつながりを優しい眼差しをもって描いたように、『ヤンヤン』においても、なぜかいつもダボダボのスーツを着ている父NJと幼いヤンヤンのつながり、そして恋人と再会する父、長女の恋が併置されているのが胸に残る。本人は見ることができない他人の後頭部や、建物の天井の角など、人に見えないものをカメラで撮り続ける小さなヤンヤンは、監督自身を思わせる。ヤンは変化し続ける台湾社会を、ただ観察するだけでなく、見えない構造を取り出そうとした。彼は学校で映画を教えるとき、生徒たちに「映画作りで一番大事なのは構造である」と言っていたそうだ。社会の構造と映画の構造、その二重写しをどう美しく作り上げるか。ヤンのように対象と関係を観察し、分析し、それを構造化し、映画にすること。この視点は、現在の日本や世界の見方にとても大きな示唆を与えてくれる。ヤンの映画を観ることは、決して懐古趣味に浸ることではない。

ヤンは異邦人だったのだろう。上海で生まれたこと、学生時代にアメリカを放浪したことも影響しているかもしれない。彼は映画を撮ろうと決心したとき、アメリカでのエンジニアとしてのキャリアを捨てて台湾に帰ってきた。映画制作の環境として決して理想的とは言えない台湾に。しかし残念なことに台湾社会はヤンの映画に決して寛容ではなかった。

侯孝賢(ホウシャオシエン)と同様、ヤンにとって映画を撮ることは、自己のアイデンティティを見つめ、変貌する台湾を見つめ、台湾から世界を見つめることだったに違いない。

2019年11月号

## 『エドワード・ヤン——再考／再見』

フィルムアート社編集部 編　フィルムアート社

エドワード・ヤン監督没後10年、生誕70年の2017年に発刊された、同氏作品の入門書、研究書ともいえる一冊。イントロダクションでの蓮實重彥、片岡義男が綴る『牯嶺街少年殺人事件』について、ヤン氏の製作を目の当たりにしてきた「教え子」の鴻鴻、王維明、陳駿霖のインタビューなど、多数の関係者の証言や論考とともにエドワード・ヤンが遺した作品、仕事、その人物像を再考する。

エドワード・ヤン：1947年、上海生まれ（2007年没）。映画監督。2歳で台北に移住する。金馬奨最優秀作品賞、カンヌ国際映画祭監督賞など国内外で多数の賞を受賞。台湾ニューウェーブの代表的存在。

1　1991年公開。61年に起きた14歳の少年による少女殺害事件から着想し製作された青春群像劇。アジア映画ベスト100に選出された監督代表作のひとつ。

2　1995年公開。90年代、高度経済成長を遂げた台湾が舞台。現代都市台北に暮らす若者たちそれぞれが迎える人生の転機を2日半の時間の中で描く。

3　1996年公開。台北に暮らす4人の不良少年と、ひとりのフランス人少女の青春群像劇。台湾バブル終期を迎えたアジア・台湾がリアルに映し出される。

4　2000年公開。祖母や両親、姉と台北で暮らす8歳の少年、ヤンヤン。ある日を境に、さまざまな問題に直面する家族の人生の機微を描く。

# Kenji Nakagami

中上健次

*Novelist*
*1946–1992*

*#20*

## 中上健次

『輪舞する、ソウル。』は、中上健次がそのころ夢中になっていた韓国のソウルに6カ月間住みながら書き上げたルポルタージュだ。篠山紀信の写真と相まって、本を開くたびに興奮が蘇ってくる。実は僕も同時期の1981年に初めてソウルに行っている。そのときの旅があまりにも衝撃的だったので、その印象を元に「SEOUL MUSIC」という曲を作り、YMOのアルバム『テクノデリック』[1]に収録した。この曲には中上が書いていることと重なる部分がとても多い。あれから何十年も経った今、改めて読み返しても、中上の見た韓国はビビッドで、少しも古びていないと感じる。僕もいまだによく覚えているソウルの街に立ったときのあの既視感。ハングル文字さえ変わってしまえば、まるでよく知っているどこかの街のようで、それが逆にSFのパラレルワールドに紛れ込んだかのような錯覚を起こさせる。中上は半年住んで、溢れ出る知的好奇心をもって韓国社会に入り込み、多くの友人を作り、韓国語を覚え、短時間でその本質を見抜き、明晰に分析し、この本を上梓した。僕も同じことがしたい。中上が見たように韓国を見てみたい。

中上は19歳のときに紀伊半島の新宮から東京に出てきて、新宿でジャズと出合い、ジャズ漬けの日々を過ごしていた。僕と中上の年齢差は5歳あるが、ほぼ近い時期に僕も毎日のように新宿でジャズ浸りだった。なかでもジョン・コルトレーンは別格だった。中上もコルトレーンが圧倒的に好きで、大きな影響を受けたという。中上の文章は執拗に繰り返しがあったり、非常に粘着質だったり、正直僕には読みづらかった。しかし、その文章を「これはコルトレーンなんだ」「音楽なんだ」と思い、独特のグルーヴに乗ることを覚えると、むしろ心地よく体に入ってくる。中上健次の文章はジャズなのだ。

中上と会ったのは80年代前半、映画『戦場のメリークリスマス』を観た彼はなぜか僕に興味をもち、お呼びがかかったのだ。それ以来とても仲良くしてもらった。僕はいつも、中上との会話や書物に刺激されていたし、お互いに共感できるところが多かったと思う。彼の『千年の愉楽』[2]が出たときに、僕はそれを読むなり、「これは映画にするしかない。ベルトルッチが撮るべき本だ」と勝手に思い、まだ会ったことのないベルトルッチの名前を出して、そのアイディアを中上に話すと、彼も「そうだ、そうだ」と喜び、ふたりで勢い勇んで角川春樹氏に資金提供をお願いしに行ったのだ。角川氏も大変乗り気で「これは俺がプロデュースをしないといかんな」と言ったので、「しまった」と中上と顔を見合わせたのが、懐かしく、微笑ましい思い出だ。

中上は〝路地〟[3]という自分が育った被差別部落を舞台にした小説をたくさん書いた。路地の道を挟んで隣には在日の街があり、よく彼らと遊んだという。幼少期からすぐ傍に韓国があったから、ソウルに行ったときも全く違和感がなかったと書いている。路地という被差別部落は血縁関係が非常に濃厚で、閉鎖的なように思われるが、すぐ傍に韓半島があり、そこに脱国境の感覚の芽生えがあったのではないか。自分の子どものころを思い出しても、「異なる」という感覚がとても大事だったと思う。異なる言葉、異なる出自、異なる階層、異なる風貌。異なる人がいる、異なる自分がある、という感覚。そこから対他的に自分を見る視点が生まれてくる。中上は遺作の未完の小説『異族』[4]で、国境を越えたアウトローたちのつながりを描いていた。〝路地〟から国境のない世界にワープする人間たちのネットワークを夢見ていたのではないか。

中上は短い人生のうちに、膨大なエネルギーを発散して、あっという間に宇宙の彼方へワープしてしまったかのようだ。

2019年12月号

## 『輪舞する、ソウル。』

中上健次、篠山紀信 著　角川書店

韓国での取材以来、この国の空気に魅了され、単身生活を送ったこともある中上健次。彼が「熱気で爆発しそうな首都」と話すソウルの街を、写真家・篠山紀信とともに歩いた実見録が『輪舞する、ソウル。』である。3台のカメラを使って撮影した三面写真「シノラマ」とともに、実体験に基づく、「今、目の前にあるソウル」の姿を日本人の目線で綴る。

中上健次：1946年、和歌山県生まれ（92年没）。小説家。75年に自身の郷里を舞台とした作品『岬』で戦後生まれ初の芥川賞を受賞。『枯木灘』で毎日出版文化賞、芸術選奨新人賞を受賞する。

1　1981年発売のアルバム。カメラの操作音や工場の騒音など非楽器音を取り込み、編集されたリズムを基礎とした手法は音楽業界に多大な影響を与えた。

2　1982年に刊行された短編小説集。紀州南端の路地を舞台に、神話的世界を通して若者たちの色事、無法、生と死を描いた物語文学の古典的作品。

3　中上健次は出身と公言していた被差別部落を「路地」と呼称していた。「路地」を舞台とした著作『岬』や『枯木灘』は「紀州熊野サーガ」と呼ばれる。

4　1993年刊行。雑誌『群像』で長期連載された中上健次最後の長編大作。民族を超え日本で共同して生きる男たちの、「青アザ」が導く数奇な運命を描く。

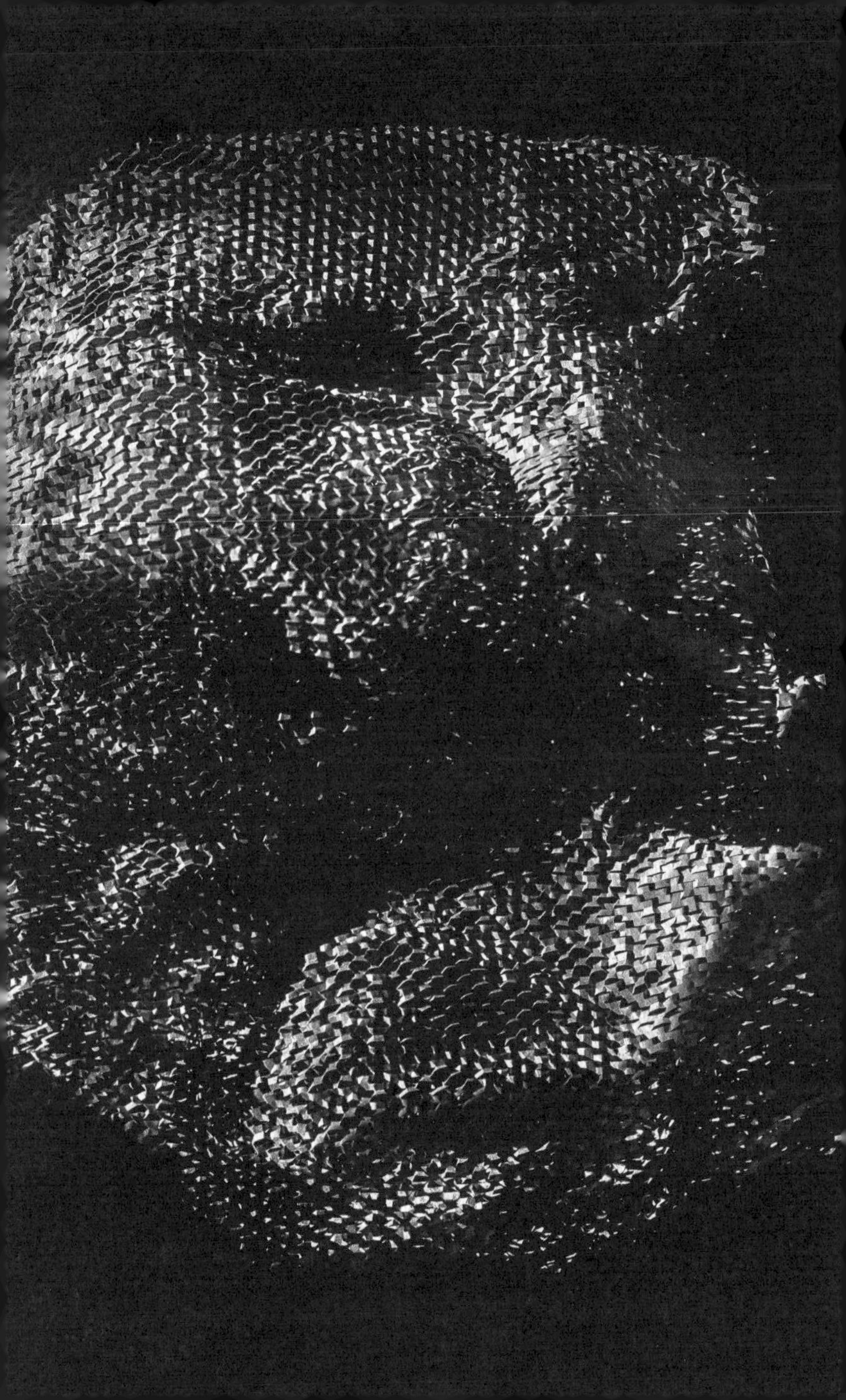

# John Cage

ジョン・ケージ

*Musician*

*1912–1992*

*#21*

## ジョン・ケージ

20世紀を代表する実験的音楽の作曲家、ジョン・ケージも、幼いころはモーツァルトもベートーヴェンも好んで演奏していたことを知り、正直驚いた。ケージの1948年と89年の講演をまとめた『ジョン・ケージ 作曲家の告白』は、彼の人生と創作の原点を知ることができる良書だ。

ケージの音楽人生は、大学を中退し、ヨーロッパで3年間学んだのちアルノルト・シェーンベルク[1]に出会い、彼のもとで学び始めたときにひとつの転機を迎える。音楽を感性ではなくシステムから考えるケージと、12音技法を発明したシェーンベルクの考え方は共振するものがあった。しかし、シェーンベルクに決定的なことを言われる。「君には和声の感覚がない」。だから作曲家としてやっていくのは難しい、と。それが機となって、ケージは自分が本当に求める音楽を探し始めたのではないか。さまざまな出会いのなかで、すべてのものには固有の精神が宿っていると考えるようになり、打楽器、ノイズを含め、存在するあらゆる音を作曲に使い始めるのは自然なことだった。モノを叩けば何でも打楽器になるのだから、キッチンや廃品置き場に潜り込み、打楽器の曲を書いた。ケージが新しかったのは音楽で使う楽音と使われないノイズを区別せず、すべての音を使用したこと。しかし、音があるだけでは作曲家の仕事にはならない。それぞれの音をどのような関係性の中に置くのか。音に場を与えるのが作曲家の仕事だと考えるようになる。36歳のケージは、このことを、「私にとって音楽とは、サウンドを組織化することです」と語っている。

ケージは生涯ダンスとともにあった。マース・カニンガム[2]のために多くの曲を作曲した。あらゆるものを打楽器として使ったケージの音楽を必要としたのは、ダンスの世界の人たちだった。それは彼らの耳が自由だったからに違いない。しかも、不規則だろうがそこには何らかのリズムがある。ダンスも時間とともに動いていく芸術で、動きの関係性を空間と時間の中で創造していくのだから、非常に近い存在だったのだろう。

その後、ケージは「なぜ人は作曲するのだろうか？」という問題に直面した。インド人の音楽家と出会い、あるいは中世のキリスト教の神秘主義を勉強し、ユングの書物を読むうち、時間の概念に辿り着く。現代人の時間は分割され、やらねばならないことに占領されている。

ケージはそれを健康的ではない時間の使い方という意味を込めて、「occupation」（占領）と呼んだ。ケージは、このoccupationから人を解放すること、それが音楽のもつひとつの役目だと思い至る。自分の時間を外的要因に占領され、分割されるのではなく、無心になることで、自分を統合できるのだと。無我夢中で作曲をしたり、演奏をしたり、音楽に聴き入り、あるいは何かに没頭すると無心の状態が訪れる。そして、ケージは、「沈黙を缶詰めにして売る」ことができないかと考え、1952年、あの有名な、「4分33秒」[3]という沈黙の音楽を世に送り出す。音符はなく、演奏家は演奏しない。それで果たして作曲といえるのか。しかし、ケージが一生こだわったのは時間を組織化することだった。「4分33秒」は、充満する音を、時間を区切って提出する、作曲家の仕事である。

この沈黙の音楽は、しかしこの世に沈黙はないという気づきによって生まれたのが面白い。またケージは禅に深く影響されたけれども、足を組んで瞑想をしたことはないと語っているのも興味深い。

僕は長くジョン・ケージの音楽を、知的な興味でしか聴いてこなかったのではないか。今はものの音に聴き入り、時間について考えるようになり、その音楽はより一層身近な存在になった。

2020年1月号

## 『ジョン・ケージ 作曲家の告白』

ジョン・ケージ著　大西穣訳　アルテスパブリッシング

ジョン・ケージが自身の音楽的遍歴を語ったふたつの講演を翻訳。ひとつめは1948年、30代半ばに行われた「作曲家の告白」。ふたつめは1989年、77歳のころ、京都賞受賞で日本に訪れた際に行われた「自叙伝」。どちらもピアノに触れ始めた幼少期からその後の音楽への姿勢や人々との交わり、作曲技法の変遷、そして現代美術や現代舞踏、禅や東洋思想、園芸、食用植物への関心などを克明に語っている。現代音楽の最前衛にいたケージの生涯を知るうえでの必読書。

ジョン・ケージ：1912年、米国生まれ（92年没）。現代音楽作曲家。アルノルト・シェーンベルク、アドルフ・ワイス、ヘンリー・カウエルに師事。プリペアド・ピアノの発明、偶然性の導入など、戦後の現代音楽界に衝撃を与えた。

1　1874年、オーストリア生まれ（1951年没）。作曲家、指揮者、教育家。十二音技法を創始したとされる近代音楽史の重要人物。代表作に「6つの小さなピアノ曲」など。

2　1919年、米国生まれ（2009年没）。舞踏家、コンテンポラリーダンサー、振付家。舞踊と音楽は同じ時間を共有しつつ、独自の創造をするものと考え、舞踏のあり方を拡大させた。

3　3楽章から成る楽曲。楽譜には全楽章に「tacet（休み）」とだけ記され4分33秒の間、一度も音を奏でることなく演奏が終わる。20世紀の前衛音楽の代表作のひとつ。

# Masaaki Ueda

上田正昭

*Historian*
*1927–2016*

*#22*

## 上田正昭

我々の祖先はどこから来たのだろう。もちろん遡れば我々は皆、アフリカをあとにした数十人の家族の子孫だ。しかし、この列島に辿り着いた人たちは、どのような経路と方法で来たのだろうか。僕は10代の末ごろから、私たちはどこから来たのかというルーツに興味をもち、古代史や人類学、考古学などの本を、大きな興味をもって読んできた。まわりの大人たちがまだ「こないだの戦争」などと言うのを不思議な気持ちで聞いていた世代の僕は、単一民族説は当然のことながら間違いだと思っていた。この列島には西、南、北とあらゆるところから長い間、異なる人々が移り住んできただろうという想像は、極めて自然なことのように思えた。

上田正昭は古代史の泰斗(たいと)であるだけでなく、神社の宮司であり、歌人でもあった。國學院大學ではあの折口信夫[1]に師事し、戦後すぐに京都大学に入り直し史学を修める。同級生、友人らがたくさん兵隊に行き帰らぬ人となった。その基盤となった戦前の超国家主義的な歴史観に、おそらく強い反感をもっていただろうし、それ故に歴史観が人に与える影響の大きさを、嫌というほど知っていただろう。上田は、古代史を列島内だけで考えるのではなく、中国、朝鮮半島など、東アジアとの交流関係を顧慮し、上田史学と言われる学問を築いた。上田のその姿勢に僕は共感する。その強い交流、影響関係は『渡来の古代史』に詳しく書かれている。興味深いのは、その出典の多くが『日本書紀』であることだ。僕はこの『渡来の古代史』を読むまで、『日本書紀』にここまで克明に多くの渡来人たちのことが記述されているとは思わなかった。改めて記紀を読まなければ。

古代において、先進的な文化や技術の多くは朝鮮半島経由で日本に伝えられたのは周知の通りだ。儒教や仏教、官位や税制などの制度、そして漢字。「漢字の伝来」というのは誰でも学校で習うが、漢字が伝来したということは、それを伝える人々が、新羅や百済[2]から書物とともに来たということだ。渡来人には高僧や王族、貴族もたくさんいたし、彼らに仕える者たちもいた。彼らの多くは朝廷から寵愛され、優遇され、財政の長、軍事の長、また地方の豪族となった者も多い。その中には、今でもほとんどの日本人が知っている名前もある。また日本各地にそれら氏族の縁の寺社が残っている。そうやって時代とともに彼らは日本社会に根付いていったのである。

我々は多くの文化・技術を朝鮮半島から学んだのだから、彼らを敬ってしかるべきなのだが、『日本書紀』が編纂されたころには上田の言う「日本版中華思想」という考えが強くなっていく。当時の朝鮮半島にあった三国、すなわち高句麗、新羅、百済は、隣の大国、唐との時々の政治状況の変化で、日本に援助を求めてくることがあった。日本は百済を救うために何万人という軍隊を出して、唐・新羅軍と戦争までした。[3] 百済滅亡時には多くの百済人が日本に逃げてきた。そのような状況下で、朝廷は次第に日本を唐の次、朝鮮半島諸国を下に見るようになったのだ。根は深い。

歴史を通して日本は、地政学的に朝鮮半島、中国、ロシアとの強い影響の下で存在してきた。誰もが知る日清・日露戦争が、実は朝鮮半島の領有権を争って起きたのだということは、学校では習わない。百年前の出来事は、朝鮮半島の南北分断も含めて、現代にまで影響を及ぼしているし、東アジアの政治的力学は百年前と驚くほど似ていると思わされる。

歴史を知らなければ現在・未来を正しく見通すことはできないと思う。

もし、上田が生きていたら、今の風潮を厳しく叱ってくれるのではないか。それが叶わぬ今、氏の著作によってより認識を深めたいと思う。

2020年2月号

## 『渡来の古代史　国のかたちをつくったのは誰か』

上田正昭 著　角川選書

「帰化」と「渡来」という言葉を明確に区分し、古代史に画期的な視点を与えた泰斗による「渡来人と渡来文化」を近代の調査結果も踏まえてまとめた一冊。渡来人たちは古代日本にどのような影響を与えてきたのか？ 東アジアの視点から、日本の原点である古代史に欠かせない渡来人の登場やその役割、古代国家の形成について思想や文字、宗教などを通して多角的に提示した考察集。「帰化と渡来と」「渡来文化の諸相」の２部構成で日本古代史の実像を提示する。

上田正昭：1927年、兵庫県生まれ（2016年没）。歴史学者。京都大学名誉教授。日本・東アジアの古代史研究で知られる。著書に『日本神話』、『古代伝承史の研究』など。南方熊楠賞など受賞多数。勲二等瑞宝章受章。

1　1887年生まれ（1953年没）。民俗学者、歌人。柳田国男に師事。国文学、民俗学、芸能史、神学など広範囲にわたり探究。著書に『古代研究』など。

2　古代朝鮮の三国のひとつ。4世紀前半に馬韓北部の伯済国が建国。660年、唐・新羅軍により滅亡。日本と友好関係にあり、仏教や大陸文化を伝えた。

3　663年、百済復興のため、日本・百済遺民の連合軍は唐・新羅連合軍と「白村江の戦い」を行うが、唐の水軍に大敗し、日本は朝鮮半島から撤退する。

# Carlo Rovelli

カルロ・ロヴェッリ

*Theoretical physicist*
*1956–*

*#23*

カルロ・ロヴェッリ

僕は、〈時間〉をテーマにしたシアターピースを作るため、ここ数年、〈時間〉に関連する本を読み漁っている。この『時間は存在しない』はまさに待ち望んでいたもの。イタリアの理論物理学者、カルロ・ロヴェッリの著したこの本は、専門の物理学の知識だけでなく、文学、哲学、音楽、詩など、人間が〈時間〉について考えてきた多くの歴史的遺産が引用され、一般の科学書とは異なり、豊かな教養と詩趣を感じさせる。今回は少し趣向を変えて、この本の解説は省き、僕がインスパイアされた語句を拾ってみる。

「この世界は、ただ一人の指揮官が刻むリズムに従って前進する小隊ではなく、互いに影響を及ぼし合う出来事のネットワークなのだ。」オーケストラは指揮者の刻むリズムに従って、各自分業を行う。指揮者のいない室内楽やロックバンドでさえ、各人は中心となるテンポ（時間！）に従い、それぞれの持ち場を演じている。だが世界はそういうものではない。

物体はその周囲の〈時間〉を減速させ、地上と山では異なる〈時間〉を刻んでいる、重力が異なるから。宇宙のどこでも共通な時間が進行しているわけではない。これは僕が感じている世界のあり方にとても近い。まさしく〝async（非同期）〟だ。アルバム『async』[1]で表現したかった「sync」（同期）することへの疑問とは、皆が共有するひとつの時間という存在への懐疑があったからだった。

「過去と未来が違うのは、ひとえにこの世界を見ているわたしたち自身の視界が曖昧だからである。」　僕たちが時間が「ある」かのように思えてしまうのは、視界の「ぼやけ」なのだ。例えば遠くに見えている山は、どこまでがその「山」だろうか。もちろんそんな線引きはできない。人間はその土と岩の塊を、ある特定の名前で呼んでいるにすぎない。僕らにとっての世界の見え方はそういうものなのではないか。

「時間の流れはこの宇宙の特徴ではないのだろう。天空の回転と同じように、この宇宙の片隅にいるわたしたちの目に映る特殊な眺めなのだ。」　僕たちはこの世界を外から見ることはできない。常に自身が含まれる内側の一点から見ていることを忘れてはならない。そこから見ると天空は回転しているように見える、〈時間〉は経過しているように思える。が、それは真の姿ではない。僕たちは永久にそれを知ることはないのではないか。常々思うのだが、自然は僕たちが見たいと思う姿を見せてくれる。原子があると思えば、原子的世界を、量子があると思えば、量子的世界を、重力波があると思えば重力波を。僕たちは自らの想像を世界に投射して、見たい世界を見ていると思えてならない。これは猿からいびつに進化したホモ・サピエンスならではの妄想の能力ではないか。

「時間は変化を計測したものであって、何も変化しなければ、時間は存在しない。」西洋の哲学者で最初に「時間」とは何かを真剣に考えたアリストテレス[2]の言葉であるが、僕も学生時代に、何も変化がなければ時は認識できない、ということを友人に話していた。「時が止まったような」、何も変化が起きず、物音も一切しないとき、誰もがこのような表現をするだろう。この地球上の生物にとって、最大の変化の指標は太陽だ。太陽光の変化がなければ、時間を計ることはできない、つまり〈時間〉は存在しなくなる。ハイデッガー[3]の言うように時計は太陽の運行を模したものだ。

プルースト[4]は書いている、「現実は、記憶のみによって形成される」と。時間のない世界を想像してみよう。僕は「自分たちが時間であることを悟り始め」ている。〈時間〉は記憶だろう。記憶している僕たちがいなくなれば〈時間〉はなくなる。〈時間〉は存在しない。

2020年3月号

## 『時間は存在しない』

カルロ・ロヴェッリ 著　NHK出版

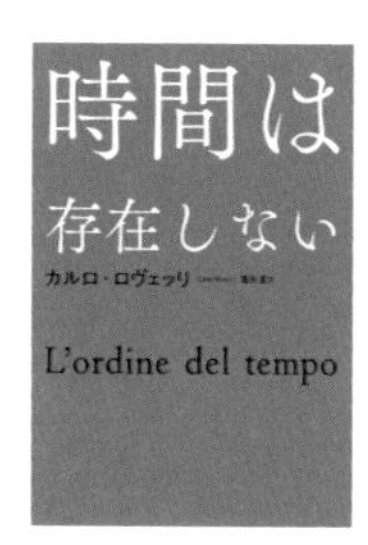


「この世界に根源的な時間は存在しない」ということを「時間の崩壊」「時間のない世界」「時間の源へ」の3部構成で考察・展開した一冊。前半では物理学的視点から「時間は存在しない」ということを、後半では哲学や脳科学の知見から「なぜ時間の存在を感じているのか」ということについて論が進む。神話や宗教、古典文学なども用いた説明や文学的な筆致で"時間"の本質に触れる難解なテーマを平易に紹介しており、世界35カ国で刊行されるベストセラーとなった。

カルロ・ロヴェッリ：1956年、イタリア生まれ。理論物理学者。「ループ量子重力理論」の提唱者。『すごい物理学講義』でガリレオ文学賞受賞。『世の中ががらりと変わってみえる物理の本』は世界中で100万部を超えるベストセラーになった。

1　2017年に発表した坂本のオリジナルアルバム。環境音やノイズなど、規則的なリズムをもたない音を収集し、制作した「非同期」的な楽曲を収録。

2　紀元前4世紀に活動した哲学者。ソクラテスやプラトンらのギリシア哲学を完成させる。「諸学の父」とも呼ばれた。著書『形而上学』など。

3　マルティン・ハイデッガー（1889–1976）。哲学者。著書『存在と時間』で「存在」の意味を追求し、その後の現代実存哲学の起点を作った。

4　マルセル・プルースト（1871–1922）。小説家。「無意志的記憶」などを書いた大作『失われた時を求めて』は現代文学に多大な影響を与えた。

# Kohei Saito

斎藤幸平

*Philosopher*
*1987–*

*#24*

斎藤幸平

この地球上の、我々の生存可能な環境がどうなっていくのか、絶望的な状況からも決して目を背けてはいけない、次世代、そして未来世代のために。我々は彼らと、そして他の生物種たちともこの惑星を共有しているのだから。斎藤幸平とマイケル・ハートとの刺激的な対談を読んでいて、強くそう思う。

社会を変えようというとき、日本では短絡的に「選挙に行こう」という話になる。それは間違ってはいないが、唯一の選択肢ではない。しかし、日本では選挙以外に政治にコミットできるチャンネルが少ない。そして選挙に勝つにはカリスマ的なリーダーが必要だということになるが、その考えはもう古いと思う。

アメリカでは2016年の大統領選で〝サンダース現象[1]〟が起き、その後サンダース・チルドレンと呼ばれる議員たちが多く誕生した。特に女性、マイノリティの政治家の進出が目立ち、この潮流は今も続いている。マイケル・ハートの指摘で特に重要なもののひとつだと僕は思うのだが、サンダースは、カリスマ的な存在であるトランプに対して、リベラル側のカリスマが出てきたという単純な話ではないという点だ。当初、サンダースを支えていた層は12年前のリーマン・ショック以降に富の独占に対して反対した〝ウォール街オキュパイ運動〟[2]を担った人たちで、その後も一部の人間による富の独占が強まるにつれ、さまざまな運動が継続されている。学生の奨学金やローン問題、高齢者や貧困層の医療費問題など、富の独占の犠牲になっている人たちの運動の集合体がサンダースを支えているのだ。サンダースが社会運動を作り上げたわけではなく、広範な社会運動がサンダースを押し上げたのである。

もう一点、マイケル・ハートの指摘で大事な点は、〝コモン〟というコンセプトだ。もともとはイギリスの農民や酪農家が共有地を持ち、共同で運用していた〝コモン〟から来ているが、ハートは「民主的に共有されて管理される社会的な富」と規定する。水や電力などの資源は地球で息づく生物たちの〝コモン〟と考えることができるし、地球自体がコモンだ。僕は昔から、地球の恵みから生まれる水や土地を誰かが所有するという考え方に承服できなかった。19世紀に白人に征服されたアメリカ先住民の首長シアトルが、母なる大地を売るということが理解できないと言ったが、僕は深く同意する。資本主義のもとでは資本家や企業は地球の資源を商品とし、貨幣価値に変えて資本を増やしていく。この数年、ますます激化する気候変動は、その歪みが必然的に招来したものだ。このまま自然を搾取し続ける現在の資本主義の延長線上に未来はない。多くの人たちがそれに気が付き始め、ポスト・キャピタリズム[3]という言葉もよく聞かれるようになった。ちなみにカール・マルクスは晩年、自然科学や環境に関する膨大なメモを残していたそうで、斎藤幸平はそのメモを出版するドイツのプロジェクトに参加している。地球をコモンと考えると、マルクスが唱えたのは「コモン主義」だと言えるし、マルクス自身がそう考えていたのではないか。

　人間というのは弱いもので、自分ひとりでは解決不能な巨大な問題に直面したとき、そこから目を背け、自分にとって心地よい声に耳を傾けてしまうものだ。経済システム、温暖化、放射能、戦争など、現代はそのような巨大な問題だらけだ。かつて冷戦時代、人間が作り出した軍事力は地球を何度も破壊できるぐらい巨大になったといわれ、現在もそれは変わらないが、今や人間の産業、経済システムが地球を破壊するような強度をもってしまった。コモンとしての地球をどうしていくのか、それを共有する全員の総意と利益に基づいて行動すべきなのだが。

2020年4月号

『資本主義の終わりか、人間の終焉か？ 未来への大分岐』

マルクス・ガブリエル、マイケル・ハート、ポール・メイソン 著　斎藤幸平 編　集英社新書

経済思想家の斎藤幸平によるインタビュー形式で行われた、哲学者のマルクス・ガブリエル、政治哲学者のマイケル・ハート、経済ジャーナリストのポール・メイソンとの対話を収録した一冊。資本主義の終焉を迎え、人類の選択次第で決定的に異なる未来を招く「大分岐」時代となった現代。本書では、“コモン”をキーワードとした民主主義、ポスト真実、ポスト・キャピタリズムなどを軸に、世界的な知識人である各氏と斎藤氏とが描く新たな展望を3部構成で展開している。

**斎藤幸平**：1987年、東京生まれ。経済思想家、東京大学大学院准教授。マルクス・ガブリエルの思想に興味をもち渡独。その後、マルクス研究会最高峰のドイッチャー記念賞を史上最年少で受賞。

1　2016年の米大統領選挙における民主党候補バーニー・サンダースが、若者世代からの圧倒的な支持を集めたことで世間を騒がせた社会動向のこと。

2　政治や金融改革を求める抗議活動。主に学生や労働者で構成され、所得格差などを訴えた。参加者には若者世代が多く、サンダースの強力な支持者となった。

3　資本主義社会における技術的発展に資本主義そのものが適応できず終焉を迎えたとき、その代替案として考えられている経済的・政治的体制。

# Ayumi Yasutomi

安冨歩

*Economist*
*1963–*

*#25*

安冨歩

僕は旧満州に独特な感慨をもっている。ひとつには、映画『ラストエンペラー』の撮影のために長春と大連に行き、その風景と都市の姿を見、人々に接したこと。映画の中で僕は甘粕正彦[1]という軍人を演じた。甘粕は憲兵大尉としてアナーキストの大杉栄と伊藤野枝らを殺し、その後、満州国設立のために尽力し、満州映画協会の理事長となり、表向きは映画人、裏では日本の満州統治に貢献した人物だ。長春に滞在中、監督のベルトルッチから突然、2日後に撮影するシーンの音楽を書くようにと言われ、旧満州映画協会のスタジオで、地元のオーケストラを使い、急遽録音したのだ。そのとき甘粕大尉を懐かしむ老人と出会い、遠い昔だと思っていた歴史が、目の前に出現し、目の眩むような思いをした。

もうひとつは僕の父が学徒動員され兵隊となり満州に駐屯していたことだ。寒さで指が凍傷になったり、野犬の群れに囲まれたことなど、満州時代の話はよく聞いていたので、初めて旧満州の地に降り立ったときには、父に電話をした。

安冨歩の『満洲暴走 隠された構造』で衝撃的だったのは、僕たちが満州と聞いて真っ先に思い浮かべる、あの地平線まで続く大豆畑に赤い夕日が沈んでいく光景は、短期間に日本が作り上げたものだったということだ。大豆畑になる前の広大な森林は伐採され、その木材で南満州鉄道は作られた。それで大豆を大連港に運び、世界にばら撒き、その儲けでさらに開墾し、鉄道を広げるという負のフィードバックが働いた。安冨の疑問は、なぜエリートたちが揃っていながら、国の暴走を防げなかったのか、ということだ。もちろんこの疑問は過去のものではない。安冨はその原因となるところを「立場主義」と命名する。平和協定を破りロシアが満州に攻めいったとき、最強のはずの関東軍40万人は、数十万の日本人開拓者を守らずに撤退した。それぞれの〝立場〟を遵守した結果、戦争に突入し、挙げ句の果てには国民を守らずに逃げてしまったのである。この旧満州で起きたようなシステムは現在も作動している。

安冨は、「立場主義」の根本は幼少期の親や家族との関係で形成されると考える。ある役割や期待を強く背負わされ育てられた子どもたちの多くがエリートとなっていく。安冨もエリートとして育ち、銀行員になり、バブル経済を起こす一翼を担ったが、あるとき会社を辞め、男性の装いをするのもやめ、自然に育つべき子どもや動物のことを真剣に考えるようになった。と同時に絵を描いたり、音楽をすることも始めた。それは安冨自身による、立場主義の負の連鎖を断ち切り、正の連鎖に転換するための方法なのだろう。

かつてナチスドイツの幹部で、ホロコーストの指揮者のひとりだったアドルフ・アイヒマン[2]の、イスラエルでの戦犯裁判を克明に記録した哲学者のハンナ・アーレント[3]は、アイヒマンが悪魔でもなんでもなく、むしろ無思想な「普通の」人間であること、それだからこそ、あれだけの悪を行ったことを名付けて「悪の凡庸さ」といった。「立場主義」と「悪の凡庸さ」は同じことだ。非常に従順で、ある意味、良い人たちが忠実に命令に従い実行し、その連鎖のシステムが巨大な悪を引き起こしてしまう。その最悪の例が戦争だ。命令と実行の連鎖というシステムこそが国家であり、軍隊である。これは人類にどうしようもなく備わっている性向なのか、あるいはこの数千年の発明に過ぎず、人類はこれを乗り越える日が来るのか。現代の日本も、歯止めのきかない暴走が起きてしまう危険と向き合っている。安冨歩のようにたったひとりでも、その負の連鎖を正の連鎖に変えることが求められているのかもしれない。

2020年5月号

## 『満洲暴走 隠された構造 大豆・満鉄・総力戦』

安冨歩 著　角川新書

かつて大森林地帯であった満州で、満州国はどのように成立し崩壊したのか……。わずか13年で建国から終焉を迎えるまでの過程を多様な側面から分析し、解説した一冊。本書では馬車と南満州鉄道、満蒙開拓団や金融システム、大豆生産がもたらす影響といったいくつもの要因が相互促進作用することで、「暴走」という負の結果を引き起こしたと論じている。さらに後半では、満州時から変わらず日本人の中に存在し、「暴走」をもたらす一要因となったとする「立場主義」を著者が解説。現代の日本社会が抱える問題や懸念と回避策などを「立場主義」の視点で言及する。

**安冨歩**：1963年、大阪府生まれ。東京大学東洋文化研究所教授。大学卒業後、住友銀行に就職するも退職。その後、京都大学大学院に進み満州国の経済史を学ぶ。著書に『原発危機と「東大話法」』『「満洲国」の金融』など。

1　1891年、宮城県生まれ（1945年没）。日本陸軍軍人。満州建国への尽力が認められ民政部警務司長就任。その後、満州映画協会理事長を務めたが、45年の敗戦後に自害。

2　1906年、ドイツ生まれ（62年没）。ナチス親衛隊中佐。ホロコースト指導者のひとり。第二次世界大戦後、アルゼンチンに逃亡するが、イスラエル諜報特務庁により拘束、絞首刑に処された。

3　1906年、ドイツ生まれ（75年没）。政治哲学者。ナチズムやスターリン主義での「全体主義」を分析し、第二次世界大戦後の西欧諸国における政治思想に影響を与えた。

# Ryu Murakami

村上龍

*Novelist*
*1952–*

*#26*

## 村上龍

村上龍の5年ぶりの長編小説を読んだ。この間、2度ほど会った気がする。古くからの友人なので近況報告などをしただけだったが、まさかこんなとんでもない小説を書いていたとは。プルーストの『失われた時を求めて』は僕たちの脳内で起こる、記憶、現実、過去、現在に関する思考の痕跡だと思うが、新作『MISSING』はまさにそのことを巡っての小説だ。

人は、誰にとっても客観的な現実というものが「ある」と思って疑わず、科学も実社会もそのような前提のもとに構築されている。しかし本当にそうだろうか。現実だと思い込んでいるものは、実は記憶と意識が混ざり合ったものではなかろうか。これは僕がいつも問題にしている時間と同じ問題だと思う。

記憶というのはハードディスクの中に情報が書き込まれているように、人間の脳の中に物質として保存されているものではないだろう。脳細胞は遅くても一年のうちに入れ替わるといわれているのに、記憶は細胞とともに消滅しないのだから。記憶は脳内の神経ネットワーク回路なのだろう。それはトリガーされるたびに再生産される。だから、記憶は呼び起こされるたびに更新され変化していくことは、僕たちも日常的に経験していることだ。回路が記憶だとすれば、細胞の数よりもはるかに多くのことをヒトは記憶できる。

記憶と言葉の関係も重要だ。普通、僕たちには乳児のときの記憶はなく、3歳ごろからボヤッとした記憶が残り始める。なぜだろう。それは乳児にはまだ言語がないからではないか。記憶するためには言語でタグ付けする必要があり、それゆえ言語を覚え始める3歳ごろから記憶が残り始める。言語というものが記憶を構成するためには必須要素なのだろう。

記憶にとって、時間も大事な要素のひとつである。時間がないと言葉によってタグ付けされた記憶の順番がわからない。言葉と時間がセットになって初めて整理された記憶になる。むしろ僕たちが時間をもつのは、脳のそうした機能から生まれたものなのかもしれない。人間は世界をそのようにしか認識できない。

面白いことに、夢の中では時間と空間のタグ付けがはずれているように思う。過去に行ったり、未来に行ったり、空間も脈絡なく飛んでしまう。僕らが現実と呼ぶものは、無理やり時間順に並べられたものなのかもしれない。

村上龍はこの小説で自分の意識の奥底まで降りて行き、現実なのか、記憶なのか、はたまた脳が作りだした幻視なのか、それらが渾然一体となった状態を言葉で紡いでいく。特に僕が驚嘆した表現がある。

「断片的だが、浮遊する泡のように意識の表面近くを漂っていて、その泡のひとつに触れ、薄い膜が弾けたら、具体的な映像や声が自動的に再生される」

「だが、記憶として強く刻まれ、決して消えることがないのは、残像となった、失われたものの記憶だ。正確には『失われたもの』ではない。残像が存在しているので、それは常に『失われている』という現在形になる。今も、今後も、失われたままなのだ」

記憶されているものは常に失われたもの、失いつつあるものだ。なんと悲しい人間の能力だろう。もし人間にそのような能力がなければ、どのような生物になっていたことか。

村上龍はこの5年間、こんな時間を送ってきたのだろう。もし僕が同じような精神状態に陥ったとしたら、一年も持ち堪えられないと思う。ましてや、それを言語化するという行為は筆舌に尽くしがたい。しかし彼にとっては、こうして言語化することが、唯一の生き延びる方法だったのかもしれない。

2020年6月号

## 『MISSING 失われているもの』

村上龍 著　新潮社

「わたしの無意識の領域で何が起こっているのだろうか」――。ひとりの女優に誘われ「混乱と不安しかない世界」へと迷い込む小説家。母親の声に導かれ、想像と現実とが入り混じる過去の迷宮を彷徨い続けることになる……。本作は著者が主宰するメールマガジン「JMM」で2015年より連載配信されていたものを書籍化。自身の母親がモチーフのひとつとされている。2015年に単行本化された『オールド・テロリスト』以来5年ぶりの長編作。

村上龍：1952年、長崎県生まれ。小説家。76年、大学在学中に『限りなく透明に近いブルー』で文壇デビューし、群像新人文学賞、芥川賞を受賞。81年『コインロッカー・ベイビーズ』で野間文芸新人賞、98年『イン・ザ・ミソスープ』で読売文学賞など受賞多数。小説、エッセイなど数々の話題作を発表し続ける。

こちらもお薦め

### 『すべての男は消耗品である。最終巻』

村上龍 著　幻冬舎文庫

「早起きが苦手で作家になった」「『偏愛』が消えてしまった」など、1984年から34年間連載されてきたエッセイの最終巻（2018年刊）が文庫に。坂本による特別寄稿も収録。

# Kinji Imanishi

## 今西錦司

*Biologist*
*1902–1992*

*#27*

# 今西錦司

生物学者、今西錦司の代表作『生物の世界』、遠い昔に読んだことがあるけれど、人類が新たなウイルスによるパンデミックによって未曾有の時を送っている今、また読んでおきたいと思った。なぜなら「生命、生物とは何か」ということを、改めてよく考える必要があるからだ。

この本を書いたとき、今西はまだ30歳代の研究者で、日中戦争が始まって数年、太平洋戦争が始まる前夜だった。自分もいつ戦線に駆り出されるかわからない緊張状態のなか、自分の学問の源泉というべきものを書き残しておきたかったのだろう。

文体は後期の自由なエッセイに比べると、とても生硬な感じがする。なかでも思わず笑ってしまうのが、「なければならない」の連発だ。西田幾多郎[1]の強い影響だと思う。ふたりの年齢は30歳余り離れているが、同じ京大であるし、西田哲学は当時もまだ多くの若い学徒を捉えていたのだろう。もちろん影響は文体だけではない。

この本における今西の一貫した考え方は、徹底して西田の「絶対矛盾的自己同一」[2]の生物学の援用ではないかと思う。というのは、今西は主体としての研究者、客体としての自然という単純な分け方をとらない。また、生物とそれが住まう環境との純然たる区別も否定する。つまり、見るものは同時に見られるものであり、生物は環境によって生かされているが、同時に環境は生物によって常に影響を受けている、環境は単なる入れ物ではない。それは冒頭、「船も船客も同じひとつのもの、つまり地球から発している」という例えからも明らかであり、今西は繰り返しその例えに返っていく。そしてここからが今西のユニークな世界観だと思うが、ひとつの惑星が船となり船客となるのは、地球自身の成長過程だというのだ。つまり地球という天体を生物として見ている。ジェームズ・ラブロック[3]が「ガイア」と名付けるはるか以前に、今西はすでにそのような見方をしていた。

また今西は常に、人間にはこう見えるが、というような物言いをする。自分の見ているものが実体そのものではない、という懐疑だ。そこには、西田哲学の向こうにカント[4]が見えると同時に、今西のすべての生物へのリスペクトが感じられる。人間が生物の世界の頂点に君臨しているなどと思うのは傲慢で、どんな生物であろうと、何百万という他の種との複雑な相互影響のもとに生きているばかりか、無生物の環境とも常にそのような関係にある。これは福岡伸一さんの言う「動的平衡」そのもの。人間が生態系を破壊すれば、その影響は当然人間に返ってくる。

今西の有名な理論に「棲み分け」というものがある。生物はたとえ同じ種でも衝突を避けるために棲み分ける。同じ木に棲んでいても、部位によって、あるいは季節によって棲み分ける。場所、時間、温度など、そのやり方はさまざまだ。棲み分けることで衝突を避け、生物の大命題である、種の保存を図る。この考えをもとに、今西はダーウィンの進化論に異議を唱えた。生物は常に同じペースで多様な突然変異を行っているのではない。自然の中では何百万という他の種との関係で生きている。ひとつが変われば他も変わらざるを得ない。しかも限られた栄養源、環境に条件づけられた生活から、生物というものは元来保守的で、異種は進化しにくいのだという。

今西は後年の「曼珠沙華」というエッセイで、ヒガンバナともいうその植物を取り上げて、その花は美しい花を咲かせ、花蜜も作るのに、受粉は昆虫の助けなしにやっている。ではなぜ花をつけ、蜜を作るのか、と問う。その答えが面白い。ヒガンバナは「訪ねてきたチョウのために役に立っておればそれよいのだ」、自然にも文化や芸術があるのだと。

## 『生物の世界』

今西錦司 著　講談社文庫

生物、歴史、環境・社会論と歴史論の観点から生物社会の構成原理を明確にし、「生物とは何か」という根本的な疑問から思考を展開した一冊。第1章〜第3章の「相似相異」「構造」「環境」では基礎・原則を根本から思索。続く第4章「社会」、第5章「歴史」で独自の理論を展開。本書では正統派進化論とされる競争原理に基づくダーウィンの「自然淘汰」を否定し、共存原理による「棲み分け理論」を提唱している。生物学の入門としての必読書。

**今西錦司**：1902年、京都府生まれ（92年没）。生物学者、人類学者、登山家、探検家。京都大学霊長類研究所立ち上げ人。79年、文化勲章受章。主な著書に『進化とはなにか』『人類の誕生』など。

1　1870年、石川県生まれ（1945年没）。哲学者。京都帝国大学教授。東洋的思想をもとに西洋哲学を取り込んだ「西田哲学」を確立。主な著書に『善の研究』など。

2　西田幾多郎が晩年に提唱していた、西田哲学の中でも最も難解とされる概念のひとつ。ふたつの対立物がそのまま対立関係を残した状態で自己同一を保つことを指す。

3　1919年、イギリス生まれ（2022年没）。科学者、作家。「ガイア理論」の提唱者。米イェール大学、ハーバード大学などでの研究後、NASAで火星探査計画にも従事した。

4　1724年生まれ（1804年没）。18世紀を代表するドイツの哲学者。著書『純粋理性批判』『実践理性批判』『判断力批判』は三大批判書と称され、現代まで影響を与えている。

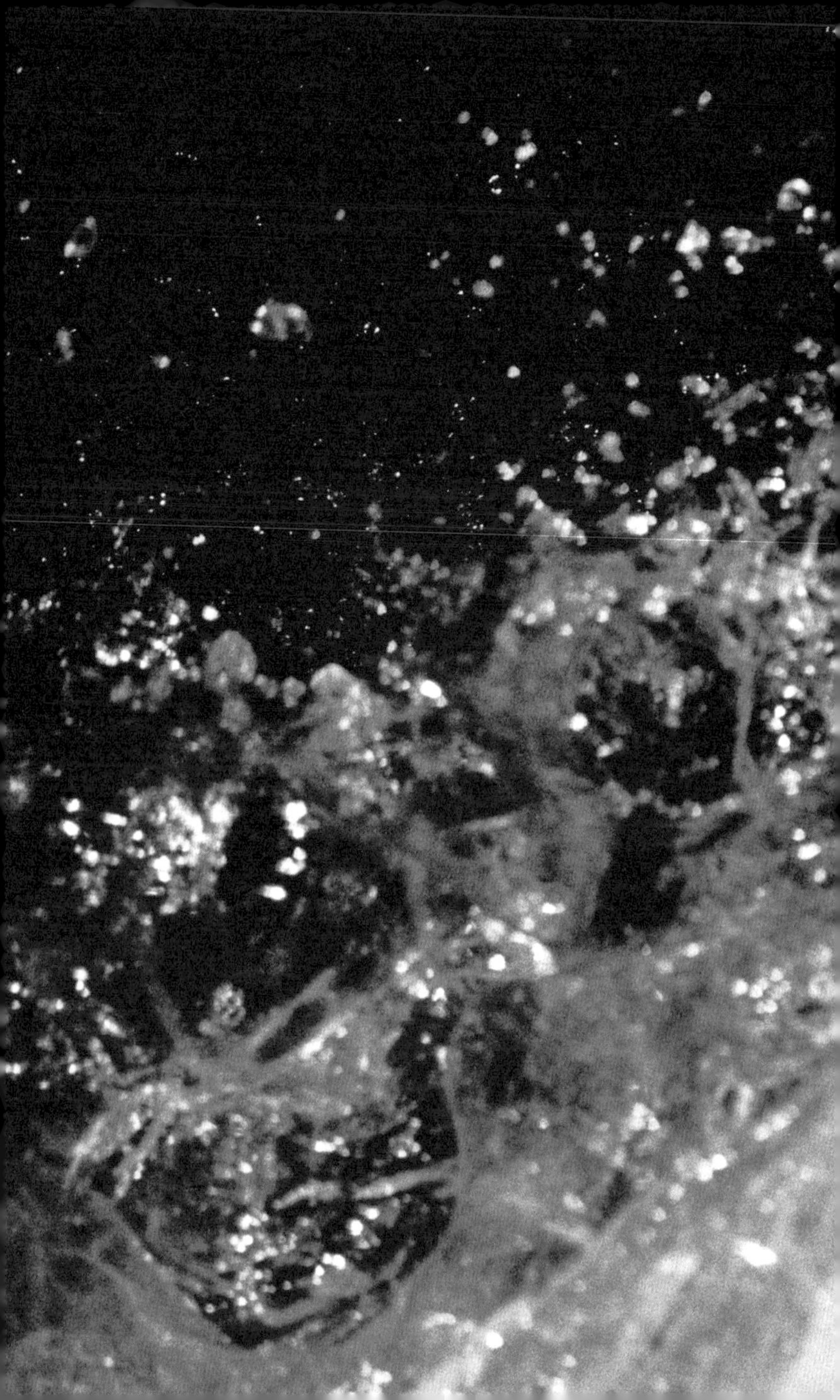

# Michael Ende

ミヒャエル・エンデ

*Children's author*
*1929–1995*

*#28*

## ミヒャエル・エンデ

僕は2002年に出版された『エンデの警鐘「地域通貨の希望と銀行の未来」』[1]という河邑厚徳さんの著書にほんの少し参加したことがある。河邑さんはNHKで「エンデの遺言─根源からお金を問う」という番組を制作した方だ。僕はこの番組を見て、お金に対して、経済に対して大きく目を見ひらかされた。シルヴィオ・ゲゼル[2]の減価するお金というコンセプトを知ったのも、この番組のおかげ。お金の制度がどれだけ僕たちの生活の隅々にまで、また考え方にまで影響を及ぼし、地球規模の自然破壊を生み続けているか、例をあげれば枚挙にいとまがない。

エンデはファンタジー作家と呼ばれる。僕は『モモ』も『はてしない物語』も大好きだ。父親(エドガー・エンデ)[3]がシュールレアリスムの画家だったこともあってか、その作品はとても映像的、絵画的であり、神話的でもあると感ずる。

『モモ』と『はてしない物語』に共通するのは、子どもが世界をリセットするということだ。『モモ』では時間どろぼうたちに盗まれた〝時間〟を、女の子のモモが取り戻す。『はてしない物語』では、男の子、バスチアンが虚から世界を救う。虚とは実でないもの、それは人間の頭が作り出したお金や国家や法律や規則のことではないのか。自然の中にはそんなものは実在しないのだから。ところが怖いことに、虚が実の世界を覆おうとしているのだ。

モモは決して雄弁ではない。モモが聞いていると、話し手はどんどんよいアイディアが湧いてくる。モモがいるだけで、子どもたちは新しい遊びを発明する。誰もがモモに話を聞いてもらいたい。彼女は理想的なリスナーである。モモは人間の声だけではなく、動物や植物、風のような自然物にまで耳を傾け、そして、「こうしてすわっていると、まるで星の世界の声を聞こうとしている大きな大きな耳たぶの底にいるようです。そして、ひそやかな、けれども壮大な、えもいわれず心にしみいる音楽が聞こえてくるように思えるのです。」と言う。モモはジョン・ケージだ。彼女は、人だけでなく、自然、宇宙すべてを音楽のように聴いている。いや、音楽としてというべきか。

灰色の男たちが盗む〝時間〟とは何なのか。「時間というものは確かにあるけれど、触ることもできないし、捕まえることもできないし、風みたいなものかも」とモモは言う。そして、それは音楽のようなものであって、いつでも響いているから、人間は取り立てて聴こうとはしない、よく耳を澄ますと聴こえてくるような音楽。目に見えるような存在ではなく、客観的に触れることができず、心の深いところにあって響き合うものであるという。それは虚でありながら実として僕らに強制力をもつもの、時間、数、法。

時間どろぼうたちに支配された現代社会とは、僕たちが生きていたコロナ禍前の社会のようだ。この物語の中でモモは自分たちの手でゆったりとした時間の世界を手に入れたが、僕たちも新型コロナウイルスという自然からの挑戦をきっかけに、ゆったりとした時間の世界を経験した。現実にはすぐに元に戻ってしまうのかもしれないが、僕はもう秒刻みの社会には戻ってほしいと思っていない。せっかく自然が、ウイルスが、強制的に与えてくれたゆったりとした時間の世界を失うのは、大きすぎる損失だ。

お金と経済の支配力が強まっていくにつれ想像力は奪われ、子どもたちの知の源泉としての遊びも奪われ、余暇が奪われ、すべては数値化され、功利的になっていくとともに、人々は攻撃的になっていく。今、自然環境も人間社会もギリギリのティッピング・ポイントに来ていると感ずる。今こそモモのように、風の、星の、宇宙の、そして自分の深いところの声に耳を澄ますときではないか。

2020年8月号

# 『モモ』

ミヒャエル・エンデ 作　大島かおり 訳　岩波書店

世界中で翻訳され、映画や舞台としても親しまれた児童文学の名作。少女「モモ」が暮らす街に現れた、人々の時間を奪う灰色の男たち。彼らに時間を奪われた住民は一秒も無駄にできないと忙しく働き始め、次第に心の余裕も失ってゆく。時間に追われ、イライラしたり、話す時間もないと悲しい顔を浮かべたりするようになった住民たちの様子に違和感を覚えたモモは、彼らの奪われた時間を取り戻すため、旅に出る。ドイツ児童文学賞受賞。

ミヒャエル・エンデ：1929年、ドイツ生まれ（95年没）。児童文学作家。61年に『ジム・ボタンの機関車大旅行』で、74年に『モモ』でドイツ児童文学賞を受賞。哲学、現代社会問題にも触れた作品世界は世界的な評価を受けた。

1　地域通貨の試みや銀行金融システムの胎動を紹介。「お金」を根本から問うたエンデの遺言の意味を、映画監督・河邑厚徳が音楽家・坂本龍一とともに再考する。

2　1862年、ドイツ生まれ（1930年没）。実業家、経済学者。1880年代の恐慌を機に貨幣問題の研究を始める。土地と貨幣のふたつの分野にまたがる自由貨幣を提唱。

3　1901年、ドイツ生まれ（65年没）。画家。神秘的な世界観で自身の心の闇を描き、「暗闇の画家」と呼ばれた。ナチス政権下で「頽廃芸術」の烙印を押されてしまう。

# Jun Ishikawa

石川淳

*Author*
*1899-1987*

*#29*

石川淳

本にはいろいろある。見識を高めるための本、新しい情報を得る本、考えを深めるための本、そして楽しむために読む本もある。ただ残念なことに僕はこれまで、楽しむために本に接したという記憶があまりない。多くの人は小説やエッセイなどを読み、読書の楽しみを得ていると思うが、僕はこれまでそんな目的で小説やエッセイを読んではこなかった。僕が小説を読むときは、ひとりの作家について集中して読むことが多く、例えば漱石や太宰、三島がそれに当たる。それも随分昔のことだ。普段読むのは思想、哲学、歴史、社会学、民族学、民俗学、人類学など、知識を得、見識を深めるための本。なので今回取り上げる石川淳の『西游日録』は僕には異例の部類に入る。

なぜこの本と出合ったか。昔、吉田健一[1]という文士がいた。子どものころ、TVなどで顔を見かけ、朝から酔っぱらっているような顔つきと語り口の、変なおっさんだと思っていたのが、最近ふと『文学の楽しみ』[2]を読みだしたら止まらない。そこに『西游日録』が出てくる。「この本を何よりも楽しくしているのは、ひとりの男が旅行に出掛けて、実にただ旅行をしているだけの姿がそこにあることだけである。」と実に吉田健一らしいぶっきらぼうな紹介。すぐにこれは読まなければいけないと思い、読み始めたのだが、これが実に面白い。何が面白いのか。良い文、良い本だからだ。吉田健一も言うように、良い文章を読む楽しみは音楽を聴く楽しみに似ている。音楽を聴いても、知識は得られない。ある時間を費やし、そこから沸き起こる感情や聴覚への刺激を味わい、あるいはそこにある作曲家の構成や構築の意図を、想像力を働かせて推量し、それで終わる。そしてそれは長く体に残る。しかし、時には音楽体験すらも、「これは宇宙を表している」などと人は言う。音楽はひとつながりの言葉に翻訳できるようなものではないと思う。本も、思想だの神だの人生だのというレッテル貼りを忘れて、音楽のように楽しむことができるはず。それを教えてくれたのが吉田健一で、僕は石川淳の紀行文をそのように読んだ。楽しかった。そこかしこに、つい微笑んでしまう「おかしみ」があった。こんなふうに本を読むのは初めてかもしれない。とても新鮮だ。哲学書や思想書もこのやり方で読んでみると、そこには良い文章とそうでないものがあって、とても違った相貌が見えてくる。

良い文章を読むというのは、美味いものを食べることとも近いように思う。美味いものに出合うと、いつまでもそれを食べていたいのと同様、良い文章はいつまでも読んでいたい、先が読みたい、そして終わってほしくない。しかし残念ながら本の最後のページに辿り着いてしまう。そこで僕はまた初めから読むことになる。良い本は音楽と同じく何度も読みたい。僕はバッハを、ベートーヴェンを、ドビュッシーを何度聴いたことだろう。この先何度聴くだろう。何度聴いても少し時間が経てばまた聴きたくなる。いやバッハなどは毎日弾き、聴いて飽きることはない。

『西游日録』は、石川淳一行がソビエト政府に招かれて、ソビエト、東ドイツに赴き、会合に出席し、当地の文人たちに会い、コンサートや芝居を観る旅の話である。東ドイツのあとは予定を立てずに単身パリで遊び、自由気ままな時間を過ごす。食べものとワイン、街角の酒場、そして時たま変わりゆく東京への嫌悪。

吉田健一のおかげでいい本に出合えた。しかし読むことについて今ごろこんな初歩的なことを言っているようでは、僕に本を語る資格などないのではないか。

最後に、『夷齋風雅』[3]の中で出合った好きな言葉、「無常の観念を杖について、ひとり老の坂を越えなくてはならない。」

2020年9月号

## 『西游日録』

石川淳 著　筑摩書房　古書

石川淳の1964年8月27日から10月29日までの日記。安部公房、江川卓、木村浩とともに訪れた、ソビエト、東ドイツ、チェコ、その後、ひとりで訪れたフランスの旅を記録している。現地の文人との交流やトルストイ、ドストエフスキーの旧邸や墓、美術館、博物館の訪問、観劇などの合間に、「オリンピックの東京といふ逆上ぶりを見ないですませるためには、ちやうどわたりに船であつた」といった当時の東京への思いも記している。写真は初版限定本のカバー。

石川淳：1899年、東京生まれ（1987年没）。作家、評論家、翻訳家。1936年、『普賢』で芥川賞受賞。その直後に発表した『マルスの歌』が反戦的と発禁処分に。代表作に『紫苑物語』『狂風記』など。

1　1912年、東京生まれ（77年没）。批評家、作家。父は吉田茂。39年に中村光夫らと雑誌『批評』を創刊。著書に『東西文学論』『ヨオロッパの世紀末』など。

2　言葉の表現の重要性を唱えた吉田健一による文学案内書。自由で豊かな感性で読書の面白さ、生きた言葉と出合う喜びを説く。文芸編集者の長谷川郁夫が解説。

3　「忘言」と題した直筆原稿のコピーから始まる、著者最後の随想集。豊かな知識で言葉の仕掛けを楽しむ夷齋先生が和・漢・洋の世界で自在に遊び回る。

# Oussouby SACKO

ウスビ・サコ

*Educator*
*1966–*

*#30*

特別対談

# ウスビ・サコ学長と、都市の未来、日本の未来を語り合う

コロナ禍で世界が変わってしまった今、人は何を思い、何を考えているのか？ この機会に本の著者と話をしてみたいと思った坂本龍一さんが最初に名前を挙げたのは、日本の大学で初のアフリカ系の学長となった京都精華大学のウスビ・サコさんでした。マリ共和国に生まれ、中国留学を経て、日本に居を移し、約30年。フィールドワークを中心に空間人類学を研究し続けたその目で、日本、アフリカ、そして世界を見通すサコさん。一方、坂本さんは、学生時代に民族音楽を学び、ピグミー[1]の音楽に惹かれていることに始まり、マリのサリフ・ケイタやセネガルのユッスー・ンドゥールとの共演、ナイジェリアのフェラ・クティの影響を受けた楽曲「Riot In Lagos[2]」を作るなど、アフリカ音楽とのつながりが多くあります。また、「地球には70億人以上の人間がいるけれど、元はアフリカから出てきた30人くらいの一家族の子孫。だから、人間というのは全員アフリカ人だと僕は思っている」と明言し、そのルーツを体感するために何度もアフリカの地を訪れています。今回の対談は現代社会が抱えている問題を浮き彫りにし、その解決への示唆に富むものとなりました。

今回が初対面となるサコ学長と坂本さん。
Zoomでの対談は2020年7月19日、
京都とニューヨークをつないで行われた。
「コロナ禍だから会うことができたのかも」とサコ学長。

**坂本龍一（以下、坂本）** サコさんは建築や空間を研究している立場から、今回のパンデミックを経験して、人間が住む都市のバージョンアップについてどう考えていますか？ 都市は紀元前5千年のイラクで始まったといわれています。以降、人間は都市を発展させ続け、現在は地球全体を都市化する勢いです。実はそれが新型コロナウイルスの原因にもなっている。人間が動物やウイルスの生息環境を奪い、その結果として、現在の状況があると、僕は思っています。

**ウスビ・サコ（以下、サコ）** 昔の都市では人間が自然をリスペクトしていたので城壁を作り、ここからは出ないと決めていたという説もあります。しかし、都市人口が増え、自分自身で都市をコントロールすることができなくなってしまいました。都市を造ることを止めれば、自然は守られるはずですが、私たちは都市を造り続ける＝自然を攻撃することを容認してしまっています。人間は生き物としてはとても弱い存在です。自分たちの作った技術で生命を支えていると言ってもいいでしょう。そう考えると、人間は自分たちの弱さゆえに自然を攻撃しているのだと私は思っています。これはアフリカの政権でよく見られることなのですが、弱い人に力を与えてしまうと、いきなり他の人をその力で押さえ込んでしまう。都市は生物の中で本当は弱い存在である人間が、自分の持っている技術で自然を攻撃して築き上げてきたものです。しかし、私たちはいろいろなものを手に入れていたようだけど、まだすべてを手に入れていないことを今回の新型コロナウイルスは教えてくれました。感染拡大を誰も止めることができない。目に見えないこの新型コロナウイルスが入っただけで、私たちの社会基盤が全部崩されたわけですから。格差をはじめとするいろいろな問題がコロナによって露わになって、人間に「お前ら、もうちょっと考えろ」と警告がきたんじゃないかと思っています。

**坂本**　全くその通りだと思います。

## 都市とは学習ができる場所、成長する機会を得られる場所

**サコ**　これからの都市は自然界との共存が重要です。そのためには人間が欲望を抑えなければいけません。例えば、緊急事態宣言下で生活は制限されましたが、解除された瞬間、何事もなかったかのように動いてしまっている。学習能力がないのか？　と思ってしまいました。本来、都市は学習ができる場所で、個人が成長する機会を得られる場所のはず。しかし、人間の成長は止まってしまっている。なぜかというと、私たちが物質的な豊かさに走ってしまったからです。いかに人間と人間の関係を可能にするか。人間がコミュニケーションを取り、お互いに関わり合うことが都市には必要だと思います。

**坂本**　人間同士のコミュニティがますます大事になっていきますね。

**サコ**　そうだと思います。人間同士の関係が問われていくような気がしています。

**坂本**　日本では僕の父が育った時代ぐらいまではコミュニティの力がまだあったように思います。サコさんは今回出版された著書『サコ学長、日本を語る』の中で京都のような本来コミュニティが強いところでさえ、それが薄れてしまっていると嘆かれていました。僕は韓国が好きで何度も行っていますが、韓国では都会の真ん中でも隣近

所が集まって、外でごはんを食べたり、みんなを引き入れ、生活している光景が今でも見られます。都会の中のコミュニティというものが、アジアやアフリカでは残っているところもあって、僕はそれが大切なような気がします。

**サコ**　私がマリにいたときは、コミュニティがひとつの家に縮小されている西洋のスタイルに憧れていました。でも今ではマリの本来のスタイルでいいじゃないかと思っています。マリでは家に知らない人たちがふらっと入って来ても、「今からごはんだけど一緒にどう?」と、誘ったりするんです。目の前にあるものはみんなでシェアする。これはかなり基本の話です。日本では、「私のものは私だけのもの」ということが多く、コミュニティが壊れてきています。「迷惑掛け合う」ということが重要と私はよく言うのですが、それは、お互いの存在を認識する手段であり、迷惑を掛け合えるような社会が素晴らしいと思います。

**坂本**　「迷惑掛け合う」は名言ですね（笑）。それと、この本の中で僕がとても良いと思ったのが「ダラダラする」こと。

**サコ**　日本人の多くは、オンとオフがあまりなく、ずっとオンの状態。学生と睡眠文化につい

## お互いの存在を認識する手段として、

## 迷惑を掛け合う——ウスビ・サコ

てディスカッションしたとき、日本人は寝る準備に30分以上かけると言うんです。パジャマに着替えたり、歯を磨いたり。私は家に帰って着替えれば、いつ寝てもいいし、わざわざ寝る準備をすることはありません。日本人は幼いころから「寝る準備をしましょう」という言葉で強制されて、寝るときまでオンになっている気がします。

**坂本**　教育の面でいうとほかにもあって、日本では親も子どもも学校に依存し過ぎています。僕は子どものころから「学校はなるべく怠ける」という癖がついていまして（笑）。大学の学長を前に申し訳ないのですが、学校を大して大事な場所だと思ったことがありません。学校にいるときはダラダラして、家に帰って本を読んだり、映画を観に行ったり、喫茶店に行ったり、デモに行ったり、女の子とデートしたり……。そこから僕はほとんどのことを学びました。

**サコ**　私は学長になってから1年生が対象の「自由論」[3]という授業を持っていて、今おっしゃったようなことを伝えています。学校で先生が与えているのは知識ではなく情報で、その情報を知識化するには、暇な時間や友達と遊ぶ時間がチャンスであり、必要だと。だから、先生たちがあなたたちに知識を与えること自体を期待しないでください。なぜかというと、先生たちは一側面でしか物事を語りません。先生は長年その分野で研究して、何かを究めた人からの一事例を伝えます。それを信じるかどうかも、どう深めるかも個人の判断であると。

**坂本**　それは良い授業ですね。

## 意識していないものを意識化してみる

**サコ**　普段意識していないものを意識化してみることも学生には常々言っています。見ているけれど、見えていないものはまわりにいっぱいあります。今回のコロナ禍で頻繁に言われていた「2週間学校に行かないと学力が低下する」という発言を聞いて、学力ってなんだよ！と憤りました。ある雑誌の取材を受けたときに「子どもたちの失われた3カ月をどう思いますか？」と聞かれたのですが、失われたってどういうこと？と。彼らは今、歴史の一部をリアルタイムで生きているわけです。〝失われた〟という言葉を使って、彼らにとっては何もなかった時間としていますが、今後彼らはこの新型コロ

今、僕たちは歴史的に貴重な

ナウイルスの歴史を語り継ぐわけです。彼らのことを馬鹿にしているとしか思えません。日本は頑なに特殊なものは好みません。テンプレート化された人間ばかり作っています。それだとコンピュータやロボットと何も変わりませんよ。

**坂本**　僕もやらなくてはいけない仕事があったのですが、この新型コロナウイルスの影響でほぼストップしてしまい、おかげで自由な時間ができました。本は読めるし、映画も観ることができるし、仕事ではない音楽を作り始めたりして。与えられたこの時間はとても貴重で重要でした。

## 時間を生きている ——坂本龍一

**サコ**　私たちは仕事や移動を言い訳に時間を無駄にしていました。こういう形でニューヨークと京都で対談ができる。コロナ禍でなかったら、坂本さんに会えていなかったかもしれない。

**坂本**　今、僕たちは歴史的に貴重な時間を生きているということを親や教師が子どもに伝えるべきですね。人類の歴史には戦争とパンデミックがつきものです。人類史的な経験をしているということを勉強するいい機会だと思います。

**サコ**　例えばペストによって生まれた文学があります。人間の想像を超えて、新しい創造を与えてくれた機会でもあった。私たちはペストの時代のものを読んで、感動しているわけです。そういう意味で、この新型コロナウイルスを忘れるのではなく、そこを踏み台にして、どうやってこれからの社会を作っていくかというのは非常に重要だと思います。私たちはいつの間にか自分のことしか考えなくなってしまっています。マリ[4]で世界遺産になった場所に研究で行くのですが、昔、そこに貨幣経済はなく、物事はすべて約束ごとで相互扶助をやってきていました。しかし、今はすべて貨幣を経由しています。そこでユネスコが入ってきて、世界遺産の改修をするという話になったとき、見積もりを出さないと、プロジェクトに関与できないのですが、世襲制で受け継がれてきた大工は見積もりの出し方を知りません。結果、その地域とは関係のない、見積もりが出せる建築家が勝手に触ることになるんです。自分たちのご先祖様が大切にしてきた場所を全く関係ない他人に触られることは侮辱でしかありません。そうやって世界遺産を守ると同時に、独特の文化を壊している。そういうものを見るにつけ、本当に全部を仕切り直さないといけないと感じます。世界共通のシステムが、人間社会を守るどころか、率先して壊している。だから新型コロナウイルスと直面したとき、私たちは立ち向かうことができないわけです。

**サコ**　生態系はバランスをとって存在しているのに私たちが必要以上のものを求めるから問題が起こるわけです。異常気象も起きる。私たちが地球を自分たちで破壊している。私たちが原因であることを自分たちに問いただすべきです。坂本さんは世界中でコラボレーションをやってこられていますが、違う文化の人たちが一緒に考えて、メッセージを出していくことはとても大事だと思います。この対談もひとつのメッセージとして、捉えていただけるといいなと思います。

2020年10月号

## 違う文化の人たちが一緒に、メッセージを出していく

**坂本**　僕は貨幣経済は本当に大きな問題だと捉えています。例えば南米の集落に泉が湧いていて、そこの人たちは何千年もその水で生きてきた。ところがある日、その土地を買い占めたヨーロッパの会社が現れて、自由に使ってはいけないと言い出す。水だけでなく、アフリカのビクトリア湖の魚[5]、南米のキヌア[6]など、同様のことが世界中でたくさん起きています。お金が貪欲さをドライブさせます。音楽家がどうにかできる問題ではないですが、これは大きな問題です。

1 アフリカから東南アジアの熱帯雨林付近に住む、平均身長が150㎝未満であることが特徴の狩猟民族。人類の成長パターンが多様であることを明らかにする存在として研究されるが、その理由は明らかになっていない。居住地域によってネグリロ、ネグリトとも呼ばれる。

2 1980年に発表された坂本のセカンドアルバム『B-2 UNIT』収録曲。ミックスとエンジニアリングを担当したのはUK初のレゲエ・バンドのメンバーであり、ダブ・ミキサーのデニス・ボーヴェル。楽曲は彼のプライベート・スタジオで収録された。

3 自由の獲得のために活動してきた人々の歴史を学び、現代における自由の位置づけ、また京都精華大学が掲げる「自由自治」=「自由とは与えられるものではなく自分で手に入れ、責任を負う」ものであるということ、そこには自治が伴うものであるということを考える授業。

4 マリ共和国には4つの世界遺産がある。ニジェール川流域のドゴン民族の居住地、バンディアガラの断崖。15世紀まで栄華を誇った伝説の都市、トンブクトゥ。泥の建築物が並ぶジェンネ旧市街。ソンガイ帝国の皇帝アスキア・ムハンマドの墓と言われるアスキアの墓。

5 かつて、「生物多様性の宝庫」として親しまれていたが、淡水魚の乱獲によって漁獲量が激減し、その対策として外来種が放流された。漁獲量は回復したが、そのほとんどが草食性だった在来種の多くは外来種によって捕食され、湖の生態系は壊滅的な状態となってしまった。

6 原産国であるボリビアやペルーでは栄養を補う食品として親しまれていたが、その栄養価の高さから、優れた健康食として世界的な需要が高まるにつれ価格が高騰。その結果、収穫物のほとんどが輸出に回され、原産国内での栄養失調の懸念や土地紛争を引き起こしている。

## 『アフリカ出身　サコ学長、日本を語る』

ウスビ・サコ 著　朝日新聞出版

京都精華大学学長ウスビ・サコ氏による初の自叙伝。マリ共和国から中国を経て日本へ。「なんでやねん」連発の波瀾万丈の人生を、「ええやんか」とコミカルに振り返る。「赤の他人に教育されるマリ」での少年時代、留学先の中国や日本での異文化との出合いに始まり、「ここがヘンだよ、日本の学び」では、日本の学校や家庭での教育の問題点を鋭く指摘。最終章は、2020年5月に話題となった、新型コロナウイルス問題について語ったインタビューに大幅加筆した「コロナの時代をどう生きるか」も収録。

ウスビ・サコ：1966年、マリ共和国生まれ。北京語言大学、南京東南大学等を経て、京都大学大学院工学研究科建築学専攻博士課程修了。博士（工学）。2018年4月から22年3月まで、京都精華大学学長を務める。研究対象は「居住空間」「京都の町家再生」「コミュニティ再生」「西アフリカの世界文化遺産（都市と建築）の保存・改修」など、社会と建築空間の関係性をさまざまな角度から調査研究している。

Coors
LIGHT

# Tatsushi Fujihara
## 藤原辰史

*Historian*
*1976–*

*#31*

## 藤原辰史

石川淳のあとに取り上げる本は難しい。その後、僕は珍しく小説を乱読しているのだが、それらの感想を披露しても面白いものになるとは思えないので、今月は藤原辰史著『分解の哲学』を取り上げる。

僕たちの宇宙にはエントロピーの法則[1]というものが貫かれていて、無秩序の状態、言い換えると分解された状態へと、すべてが向かっている。日々の暮らしの中でも、掃除をしないと室が散らかる、埃がたまる、放っておけば食べ物が腐る、エントロピーの法則だ。ところで、僕らのような生物は、その法則に抗って秩序を保っているではないか。福岡伸一は生命が秩序を保つためには、逆説的に分解をしないとならないと書いている。自分の体、庭の鳥、寝ている猫など、なんでも秩序が保たれているように見える。が、実は一瞬の休みもなく、細胞は分解され、作り替えられている。これは生命という秩序の中に、予め壊すことが内包されているからだ。体内で起きていることだけではない。生物は食べる。食べるとは、自分の秩序を保つために他の生物を分解することだ。世界は分解者のおかげで成り立っている。

この本では、ナポリの人々が新しいものに不安を覚え、壊れていると安心するという話が出てくる。すごくわかる。僕も新刊より古本がいい。建築や街も古いほどよい。廃墟ならもっとよい。昔インドに行ったときに、長い時間太陽の熱にさらされ色褪せたトタン屋根の群れに、たまらない魅力を感じた。東京は街自体が新品になってしまって、本当につまらない。まるでビルや街が消耗品の商品のようだ。いや、ようだではなくその通りなんだろう。

この本の「修理の美学」という章で取り上げられている、国語学者の大野晋の、日本語における時間の観念についての仮説に大きな刺激を受けた。それによると、トキはトクという動詞と関連している。トクとは「紐を解く」などのトクだ。これは他動詞で、自動詞になるとトケ（溶け）となる。このトケが、古い時代にトキという形をもっていたと、大野は推理する。それはものが溶ける、あるいは崩れ、流動すること。安定した状態であったものが、壊れて流動していく状態を、古代の日本人は「トキ」、時間の観念としたのではないか、というのだ。これは中国の「時」の観念とは大きく違い、漢字の「時」は、日が進みゆくということを表している。またラテン語のtempusは、伸びる、広がるという意味であるという。

吉田健一の『時間』という本の冒頭で、時計の秒針が刻々と移動しているのを見て、人は時間が経つという観念をもつが、水車が回っているのを見れば、それはただ回っている意識があるだけだという意味のことを書いていた。ベルクソン[2]が考えたように、時計は実は時間的なものではなく空間的なものだ、ということと共振する。

この本では各章ごとに人や出来事が扱われていて、それぞれが面白い。ネグリとハートの『帝国』[3]までもが取り上げられられているのに驚く。あるいはフレーベルの教育哲学から生まれた積み木。僕も御多分にもれず、積み木を崩すのが大好きだった。68歳になった今、わざわざやきものを焼いてそれを割るという作品を作ろうとしている。これまで全く縁のなかったチェコのチャペック[4]という作家、かつて隅田川沿いにあった「蟻の街」のことなど、たくさん知識を得ることができる。学者という人たちは、僕などが一生かかっても読みきれない本を読みこなし、それを噛み砕いて教授してくれる、とても有難い存在だ。そして著者自身が、このようなコト、人、書物を通して「分解」という観念を深めていった思考の痕跡でもあろうと思いながら、楽しく読んだ。

2020年11月号

## 『分解の哲学 腐敗と発酵をめぐる思考』

藤原辰史 著　青土社

生産や構築、拡大で溢れる進歩主義的な近代世界。しかし本来は、その前後にある破壊や崩壊、腐敗といった「分解」という動きこそが創造や変化の基礎にあると著者は述べる。本書では「食」という行為もまた食物を分解し、栄養と排泄物に変化させる社会の分解過程のひとつであると考え、あらゆる分野を横断しながら食について再考していく。

藤原辰史：1976年、北海道生まれ。京都大学人文科学研究所准教授。専門分野・研究テーマは農業史、食と農の思想、ドイツ現代史。主な著書に『ナチスのキッチン』（水声社）など。2019年にサントリー学芸賞受賞。

1　熱力学における不可逆性の度合いを表す数値「エントロピー」は常に増加方向へと進み、減少することはないという法則。数値が大きいほど無秩序となる。

2　アンリ・ベルクソン。1859年、フランス生まれ（1941年没）。哲学者。ショーペンハウアーやニーチェを先駆者とする「生の哲学」を代表する人物。20世紀の哲学・思想に多大な影響を与えた。

3　哲学者アントニオ・ネグリとマイケル・ハートの共著。旧来の国民国家や帝国主義とは異なる、グローバル時代における新たな主権的権力の出現を主張した一冊。

4　カレル・チャペック。1890年、チェコ生まれ（1938年没）。作家、劇作家、ジャーナリスト。代表作にSF作『ロボット』やエッセイ『ダーシェンカ』など。チェコを代表する作家のひとり。

# James C. Scott

ジェームズ・C・スコット

*Anthropologist*
*1936–*

*#32*

ジェームズ・C・スコット

僕も多くの人が信じているであろう、ひとつの物語を信じてきた。それは、長らく狩猟採集[1]をしていた人類が、あるとき農耕を始め、それによって定住するようになり、富が蓄積され、小規模な集落から最初期の都市、そして国家へと進化していくという物語だ。そこには、狩猟採集生活は野蛮なその日暮らしであり、農耕生活こそがより進化した文明的なものだという、文明側の都合のよい歴史観が表されている。今回取り上げる『反穀物の人類史』は、最新の考古学や人類学の資料をもとに、そのような物語を敢然と打ち壊していく。

狩猟採集民の生活というのは私たち農耕民の子孫が勝手に想像するような野蛮で悲惨なものではなかった。その多様な生態系を移動しながらの生活は、彼らに多くの植物や昆虫、動物についての知識をもたらせた。獲物の行動パターンを熟知し、適切な時期に待ち構え、さらに環境を多少改変して、獲物を隘路（あいろ）に誘導し、狩りやすくすることもあった。と同時に、多少の農耕や遊牧もやりながら、豊かな食のバッファを確保していた。そんな狩猟採集民の生活に比較すると、定住した農耕民のリスクはとても大きいのではないか。農耕は非常に多くの時間と労働力を必要とし、限られた種の作物に依存しているため、凶作の場合には補うものがない。また生活圏が密集しているので、疫病が蔓延しやすく、そのリスクは人間間だけではない。人間によって家畜化された動物たちも密集しているために、動物間、そして動物から人間への感染のリスクが高まる。これはまさに、今僕たちが体験しているコロナ禍の原形のような状況だろう。

そんなリスクが多い農耕生活を、なぜ人類は始めてしまったのか。ひとつの理由は気候変動だと推測される。気候変動により、狩猟採取民が依拠していた豊かな生態系が崩れ、人口が減少し、チグリス＝ユーフラテスの湿地帯に依拠して生活する圧力が増したのだろう。

そこに全く異なる圧力が現れた。初期の国家だ。狩猟採集民の一部はすでに芋や豆を植えたりしていたが、その中でも穀物が特に大規模に栽培されるようになったのは、国家の強制力によるところが大きいと考えられる。穀物は同時期に種ができ、土地面積に対して収穫を予想しやすく、管理・統制しやすい条件が揃った、国家にとって、徴税として利用するのに都合のよい作物だった。

2020年、新型コロナウイルスが蔓延し、改めて都市について考え始め、農耕の始まり、都市の始まり、国家の始まりを考えざるを得なかった。僕は人類の発明の中で最悪なものが国家だと思っており、広大な面積を単一の種で覆ってしまう農耕は、人類最初の環境破壊だと思っている。国家は膨大な労働によって生み出される富を収奪する。それを巡って国家同士の争いが起きる。富を奪われる側と奪う側という、大きな格差が生まれる。国家を運営するためには穀物を生産し、富を守り、富を収奪する兵力などの労働力が必須だ。つまり一番の富は労働力だったのだ。そこで戦争によって得た捕虜を奴隷にし、兵士や耕作民として使う。軍隊を出動させ、狩猟採集民を捕まえてきて移住させ、耕作をさせる。実はこれは日本が明治になって、北海道でアイヌ民族に対してやったことと同じだ。狩猟採集は野蛮な行為だから辞めろ、ここに住んで耕作しろ、と強制し定住させた。

僕の好きなフランスの人類学者にピエール・クラストル[2]がいる。彼は、アマゾンのグアヤキ民族[3]を調査・研究し、彼らは知性を働かせ、国家や権力を作らない社会を築いたと結論した。

私たちはどうしたら21世紀の野蛮人になれるだろうか。

2020年12月号

## 『反穀物の人類史 国家誕生のディープヒストリー』

ジェームズ・C・スコット 著　立木勝 訳　みすず書房

ユニークな視点から人類学の研究を行ってきた著者は、「ホモ・サピエンスは待ちかねたように腰を落ち着けて永住し、数十万年におよぶ移動と周期的転居の生活を喜んで終わらせた」のではない、と論じる。狩猟採集生活から農業への移行による効率的な栄養摂取と定住、集住地域での国家形成……という従来のストーリーに疑問を突きつけた本書では、農業革命への固定観念を覆し、新たな人類の進化の歴史を7章に分けて提示する。

ジェームズ・C・スコット：1936年生まれ。人類学者。米イェール大学政治学部・人類学部教授。アメリカ芸術科学アカデミーのフェロー。農民の日常的抵抗論を展開。2010年、第21回福岡アジア文化賞受賞。著書に『ゾミア 脱国家の世界史』など。

1　人類学において、動植物の狩猟や採集を行うこと。牧畜や農耕の開始される新石器時代までは、この生活を基盤においた狩猟採集社会が人類の生活形態の主要であったと考えられている。

2　1934年、フランス生まれ（77年没）。人類学者、民族学者。多くのフィールド・ワークを行いグアヤキ民族、チュルピ民族、ヤノマミ民族などを調査したのち、フランス国立科学研究センターの研究員に。著書に『国家に抗する社会』など。

3　南米パラグアイの熱帯雨林で生活をする民族。アチェ民族とも呼ばれる。集団自体が権威を拒否し、「権威なき首長制」を成立させている。迫害と虐殺により、絶滅の危機に陥っている。

# Akeo Okada

岡田暁生

*Musicologist*
*1960–*

*#33*

岡田暁生

２０２０年、目に見えない極小のウイルスが、すべての分野でこれまでのやり方を再考することを人類に強いた。音楽もまたしかり。これほどの長い期間、生の音楽が消えてしまったことが、果たしてルネサンス以来あっただろうか？　この『音楽の危機』は音楽のあり方について、たくさんのことを考えさせてくれる本だ。

さて、話はベートーヴェンの「交響曲第九番」を巡って展開する。通称「第九」[1]、この曲ほど19世紀に大きく発展した資本主義、科学技術の発展、そして近代市民主義を象徴する音楽はない。特に第四楽章はまるで資本主義の性格をそのまま表しているようだ。第一楽章から第三楽章までのテーマを提示しながら、それを一つ一つ否定していく。そして、最後に「これだ！」と大肯定されるのが「歓喜の歌」。紆余曲折しながら最後の大団円に向けて右肩上がりに進んでいく。これは、古い形を壊しながら未踏の市場を求めて、あるいは現代ならテクノロジーを駆使して新たな市場を創造することによって延命し続ける資本主義の姿のようだ。また明らかにヘーゲルの弁証法[2]の影響もあるだろう。ベートーヴェンとヘーゲルは同年に生まれている。とするなら弁証法はすぐれて資本主義的なのか、あるいは資本主義が弁証法を駆使しているのか。

しかし、このパンデミック下で、「第九」は最も演奏するのにふさわしくない楽曲となってしまった。ステージ上にオーケストラと合唱、２００人以上が乗り、客席には２０００人以上が集う。感染対策上の問題だけではない。要はこの曲の本質に関わる。たくさんの人間が手を取り合い、密集してこそ、この音楽が謳いあげる兄弟愛、人類愛が表現できるはずだ。またこの曲が称揚する、右肩上がりをひたすら志向する資本主義を、今、賛美できるのかという問題もある。貪欲な資本主義による自然破壊こそが、新型コロナウイルスが人類と接触してしまった元凶なのだから。

この本の最後に、著者は、京都の町で、通りすがりに聴こえてきた僧侶たちの疫病退散祈願の読経に、時を忘れて聞き惚れてしまったと書いている。そして音楽とは本来こういうものだったのではないかとまで言う。現在、音楽はあらゆるメディアを通して途切れなく聴くことができるが、そのような音楽のあり方は20世紀になって始まったことだ。古代、音楽は特別な日や祭祀のためにあったのではないか。19世紀のヨーロッパの市民社会になっても、音楽といえば、週末などに友人、家族と合奏をしたり、たまにコンサートに行き楽しむものだった。つい100年前までは、音楽とはそういうものだった。それがレコードが発明され、1920年、アメリカで世界初のラジオの公共放送が始まり[3]、音楽と人との関係は劇的に変わっていく。ところが音楽が絶えない現代でも、テロが起きたり、日本でいえば天皇崩御の際は、日常から音楽が消える。誰に命令されるわけでもなく、人間はそうしてしまうのだ。それは我々の中に、遠い古代の感覚が残っていることを示す。だからこそ、僧侶の祈りを、本来の音楽のあり方だと感じるのだ。

　コロナ禍で特別な時をもった私たちは、それが沈静化したからといって、単純に元の世界に戻るわけにはいかない。そのとき、人はどういう音楽を謳うのだろうかと著者は問う。「第九」に戻り、コロナ禍を克服したという勝利の歌を謳うのか、それとも鎮魂の歌なのか。また、右肩上がりの大団円を求める近代的な音楽形式が、ポスト資本主義の時代の音楽としてふさわしいだろうか。音楽は世界観を表す。それは来るべき世界をも予知する。

　そのうえで、僕は「第九」を象徴的役割から引きずり下ろし、純粋に音楽だけを聴けるようにしてあげたい。

2021年1月号

## 『音楽の危機―《第九》が歌えなくなった日』

岡田暁生 著　中公新書

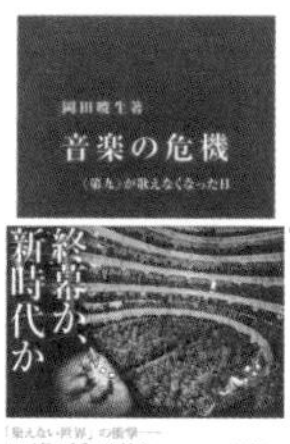


2020年、コロナ禍で世界各地からライブやコンサートといった生演奏の機会が姿を消した。近代社会とともに育まれてきた音楽を聴く、聴かせるという行為がかつてない窮地を迎えている今、このまま文化は終焉を迎えてしまうのか、それとも転換期となるのか。本書では近代社会と音楽の共生関係や音楽家の役割、生の音楽とストリーミングやメディア録音（録楽）の違い、「第九」を例に挙げた「密」が前提となるクラシック音楽への指摘などとともに、コロナ禍を経た音楽の現場の最前線と今後の行方を探る。

**岡田暁生**：1960年、京都府生まれ。京都大学人文科学研究所教授。音楽学者。97年、リヒャルト・シュトラウスのオペラを論じた『〈バラの騎士〉の夢』でデビュー。2001年、『オペラの運命』でサントリー学芸賞受賞。

1　ベートーヴェンの遺作となった、9作目の交響曲。1824年初演。オーケストラ、ソリスト、独唱と合唱で演奏される。初めて効果的に声楽を使用した。

2　ある「命題（テーゼ）」と、それに対立する「反対命題（アンチテーゼ）」のどちらも捨てることなく発展・統合させることでより良い命題（ジンテーゼ）を探る思考法。

3　1920年11月2日、米大統領選挙の速報を放送局KDKAが放送したのが始まりとされる。以来、世界中で放送局とラジオ受信機の製造・販売が急速に発達した。

# Daniel Quinn

ダニエル・クイン

*Author*
*1935–2018*

*#34*

## ダニエル・クイン

ある日「僕」は新聞広告に「世界を救う教師」という宣伝を目にする。馬鹿げたことだと思いながらも、どうしても無視することができずに、その宣伝に書いてある場所に訪ねて行くと、そこいたのはイシュマエルという名のゴリラだった。

『反穀物の人類史』[1]を読んでいて、僕はこの『イシュマエル』と、クロード・レヴィ゠ストロースの『野生の思考』[2]との関連を思っていた。いまだに多くの人に信じられている物語、つまり長く続いた過酷で悲惨な狩猟採集の後、富をもたらす農耕が始まり、国家ができたという物語に対して、この3冊は疑問を投げかけている。

ゴリラの教師という最初の驚きはいつしか彼に対する畏敬の念へと変わっていく。この教師は「僕」を、人類の来し方を深く考察するよう導いていく。

神話の中に生きている「僕」たちは、それがあまりにも当たり前なので、神話がそこにあることさえ気が付かない。それを気づかせるために、イシュマエルはより深く考えることを要求し、少しずつ「僕」に染み付いた思考をひっぺがしていく。

この本の中では独特の用語が使われている。狩猟採集民は〝残す者〟であり、農耕民は〝取る者〟だ。より多く取り、限りない繁栄を目指す〝取る者〟は、僕らそのものであり、資本主義そのものだ。この7千年をかけて、〝取る者〟による支配は世界中に広がり、僕たちは今「人新世」に生きている。

この物語の多くの啓示の中で僕がとりわけ衝撃を受けたのは旧約聖書の解釈だ。

誰もが知っているように、〝取る者〟の始祖アダムは神に背き、生命の樹の実ではなく知恵の樹の実を食べることによって楽園を追われ、額に汗して（農耕）働かなくてはならなくなった。しかし、この物語は本当に〝取る者〟による伝承であろうか。自らの拠って立つ宗教書の冒頭に、自分らが崇める神に背いたことによる楽園からの追放劇をもってくるということがあるだろうか。つまりこれは〝取る者〟による伝承ではなく、〝残す者〟の伝承なのではないか。聖書の作者たちはたぶん、その古い物語の意味するところがすでにわからなくなっていたのだ。

〝取る者〟たちは神のように世界を征服し統治しようとする。これは神に背く行為であり、神の作りたもうた楽園、つまりこの惑星の自然を破壊する行為である。そんな衝撃的な聖書の解釈を提示されて、欧米の読者の戸惑いは如何程だっただろう。

僕らは自らが生きている神話に気づき、それを更新しなければならない。より持続可能な神話の中で〝残す者〟として生きなくてはならない。狩猟採集生活に戻れということではない。〝取る者〟以外のあらゆる生命がそれに則って生きている、生命共同体の法則に沿った文明に早急に移行する必要がある。〝取る者〟は、そしてその文明は絶滅へ向かっている、彼らだけの絶滅ではない、何百万という種を道連れにしての絶滅だ。

神話を更新するために、僕はシェアすることが大事だと考えている。何百万種という生命共同体はこの惑星を「コモン」としてシェアすることで生存してきた。その法則に従わない者は生きられない。〝取る者〟が作り出した資本主義はシェアリングを嫌う。多くを生産し多くを消費させせないと繁栄できないからだ。しかし有限のこの惑星で無限の成長・繁栄はできない。

残念ながら著者のダニエル・クインは数年前に亡くなったが、初めてこれを読んだときも、今回読んでも、よくもまあこんな設定を考えたものだと、著者の発想力と深い洞察に感心する。

本連載第5回の黒澤明で取り上げた『デルス・ウザーラ』[3]は、まさに〝取る者〟と〝残す者〟を扱った映画だ。黒澤明の認識の深さに感嘆を禁じ得ない。

2021年2月号

## 『イシュマエル　ヒトに、まだ希望はあるか』

ダニエル・クイン 著　ヴォイス　※中古本のみ

「個人によって程度の差はあれ、君たちは、君たちに世界を破壊し続ける行為を無理強いする文明システムに拘束されている。そうしないと生きられない仕組みになっている」。本書では、人語を話すゴリラ「イシュマエル」と社会に不満を抱く「僕」との対話形式で物語は進んでゆく。アダムはなぜ禁断の果実を食べたのか？ 農業改革の真意とは？ 聖書の記述にも触れながら、人類史への考察と解釈、そして「僕」との問答を通して、イシュマエルは人類の功罪と未来への展望を私たちに考えさせる。

ダニエル・クイン：1935年、米国生まれ（2018年没）。作家。セントルイス大学、ウィーン大学、ロヨラ大学で学んだ後、シカゴの出版界でキャリアを積む。75年にフリーランスの記者・作家に。『イシュマエル』でTurner Tomorrow Fellowship Awardを受賞。

1　本書では、狩猟採集から安定した農業・定住へと転換したことで国家が誕生したという従来の人類史を否定し、定住と農耕、国家の成立をそれぞれ独立したものと主張する。

2　「野蛮人」と「野生の」という両義性をもつ「Sauvage」を利用して、人類学とその科学的検討を通じた未開人観のコペルニクス的転換を表現した一冊。

3　1975年公開の黒澤明監督作品。ソビエトの全面的な出資によりシベリアの大自然の中で撮影された異作。アカデミー賞外国語映画賞、モスクワ国際映画祭金賞受賞。

# Yoshikazu Yasuhiko

安彦良和

*Cartoonist*

*1947–*

*#35*

特別対談

# 安彦良和さん×坂本龍一さん 漫画家と音楽家が語る、歴史とこれからをつなぐもの

人違いじゃないのか？ 今回ご登場いただく漫画家の安彦良和さんは、坂本龍一さんから、この対談のオファーを受けたとき、そう思われたそうです。安彦さんは1970年代から『機動戦士ガンダム』『宇宙戦艦ヤマト』など多くのアニメ作品に携わり、不動の人気アニメーターの地位を確立されたのち、1989年以降は漫画家に転身。幾多の日本史の史実を独自の歴史観で読み解く作品を多数生み出し、人気を博してきました。

坂本さんは、最近偶然、安彦さんの漫画と出合い、短期間でその作品の多くに触れ、感銘を受けたといいます。直接話を聞いてみたい。坂本さんのそんな思いから、今回の対談オファーとなりました。

自己紹介から始まった対話は、日本古代史、近現代史、漫画、アニメーション、そしてトランプ政権以降の世界の話まで、ふたりの興味と知識を紡いでいくように延々と続いていきました。「このままだと一日中話をしてしまいそうですね」と、思わず口にした坂本さん。「コロナが収束したら、次回はぜひ直接お会いしましょう」。5歳違いの呼応するふたり、対話はまだまだ続いていくようです。

坂本さんの念願がかなっての、おふたりの初対談は、
2020年11月、Zoomで行われた。
「一日中話してしまいそう」というほど、
話は盛り上がり、多方面に広がっていった。

**坂本龍一（以下、坂本）** 日本と東アジアの古代史と近現代史を描かれるきっかけは何だったんですか？

**安彦良和（以下、安彦）** 僕はアニメーターを20年ほどやって、それから漫画を描き始めました。漫画家になって30年くらいです。アニメと違い、漫画はそこそこ売れれば食べていける世界なので、漫画家になったとき、「もう何を描いてもいいんだ！」という気持ちになりました（笑）。そこで当時から興味をもっていた日本と東アジアのつながりを描きながら探ってみようと近現代史と古代史に関する作品を同時に描き始めました。

## 日本はどこで間違えたのか？という共通の問題意識

**坂本**　日本帝国主義による朝鮮半島と満州への進出にも以前から関心があったんですか？

**安彦**　僕は坂本さんの5歳上で田舎の大学生で、ちょうど学生運動の最盛期でした。そのころ、高校生の坂本さんは東京でもっとラジカルなことをやっておられた。だから5年の隔たりはあるけれども同じような青春時代を生きていたと思います。私と坂本さんの問題意識はそのあたりからつながっているとも推測できますね。僕の作品は「日本はどこで間違えてしまったんだろう？」ということがテーマになっています。それを遡るために描いたのが満州時代をテーマにした『虹色のトロツキー』[1]でした。満州国がどうしてダメだったのか。まさにラストエンペラーの時代です。

**坂本**　旧満州には行かれましたか？

**安彦**　1991年にハルビンから大連に下って、舞台になる内モンゴルの通遼市にも取材で行きました。

**坂本**　僕は86年に映画『ラストエンペラー』の撮影で大連と長春に行きました。日本が造った街並みや建物が当時のまま残っていて、また旧満州映画協会の音楽スタジオがまだ存在していて、そこで現地の演奏家と録音をしました。そのすべてが非常に忘れがたい体験でした。それもあって安彦先生の近代史3部作に興味をもち、また若いころからアイヌ文化にとても関心が強かったこともあって『王道の狗（いぬ）』から読み始めました。

**安彦**　満州を描いて、昭和だけを見てもダメだと思い、明治まで一気に下ってみたんです。秩父事件[2]が僕の気持ちのどこかに引っ掛かっていて。最低限、自由民権運動の挫折から見ていかなきゃダメかなという気がして、今はまだそのつながりを追いかけていて、連載中の『乾と巽―ザバイカル戦記―』[3]は大正時代のシベリア出兵を描いています。これで最初にもっていた問題意識にひとつのつながりができたかなと思っています。

**坂本**　当時、日本中で自由民権運動は盛んでしたが、その後、運動家たちの多くは逮捕されて、その大半は北海道の極寒の中で強制労働をさせられ、ずいぶん亡くなったそうですね。

**安彦**　『王道の狗』の主人公もそのひとりです。僕は北海道の網走地方出身でして、描いたのは、和人で入植していたのは囚人ぐらいという開拓期の走りの時期です。そこにも自分なりの接点を感じて、秩父事件の若い囚人がそこでアイヌ民族に助けられるというイントロを考えました。そのころ、土佐の民権活動家の徳弘正輝[4]が入植していたり、北海道の先駆者にはそういうタイプが多いです。
**坂本**　安彦さんのご先祖はどこから？
**安彦**　僕の先祖は福島の鉱山から平民屯田で入植したらしいですが、国からもらった田畑を失くして、開墾を重ねた明治の落ちこぼれ組だったみたいです。
**坂本**　昔の北海道では、近くに住む和人とアイヌ民族の交流は多かったようですね。作曲家の伊福部昭もアイヌ語が話せたという話を聞きました。
**安彦**　徳弘の奥さんがアイヌ民族で『王道の狗』にも出てくる実在する方です。『王道の狗』ではその妹さんが主人公と微妙な仲になるフィクションを拵えています。史実を借りてきて、ちょっといじるというのが僕は好きなものですから。

## アニメと音楽、ふたつの〝雷電(ライディーン)〟

**安彦**　ちょっと話が逸れるのですが、『勇者ライディーン[5]』というアニメはご存じだったんですか？
**坂本**　はい、知っています。
**安彦**　YMOの「RYDEEN」がなんで同じ〝ライディーン〟なんだろう？とずっと引っ掛かっていまして、今回、勇気を出して検索したのですが、関係がちょっぴりあるんですね。
**坂本**　安彦さんと同い年の細野晴臣が漫画

好きでそういうカルチャーに詳しく、彼が最初〝雷電〟というコンセプトを提案したと記憶しています。

**安彦** 『勇者ライディーン』のロボットのデザインは僕なんです。ですから、当時、世界のYMOと僕ら貧乏スタジオのアニメが関係あるわけはないとずっと思っていました（笑）。

**坂本** 古代史の興味はいつごろから？

**安彦** 古田武彦[6]さんの本で邪馬台国論争を少し理解したのが最初でした。その後読んだ原田常治[7]さんの『古代日本正史』がすごく面白くて、それを読んだころに「古事記を描かないか？」と言われて原田説で描いちゃおうと思ったんです。簡単に言ってしまえば、神社に伝わる伝承を辿っていくと日本の始まりが見えてくるという神社伝承の話です。そのころはまだ神社を真面目に語っている方は少なくて、とても興味深く新鮮に感じていました。

**坂本** 安彦先生が紹介されていた『古代日本正史』に触発されて、コロナ禍の前に奈良に行きまして、石上神宮から始めて出雲系の遺跡を2日かけて回りました。

**安彦** それはすごい。かなり距離がありますよ。當麻寺も行かれました？

**坂本** いえ、行けませんでした。

**安彦** 実は死者の魂が降臨して女性と交感するという三輪山の箸墓の由来みたいなことを今の連載が終わったら、描いてみたいと思っているんですよ。

**坂本**　出雲系の一番の神様であるスサノオ[8]は描かれないんですか？

**安彦**　原田さんがその分野が大変お好きな方で、すべてスサノオに行き着くような書き方をされているのですが、僕はひねくれたところもあって、「じゃあ、僕は別な方向から描いてやろう」と思い、大国主から入ったんです。本当はスサノオから入るのが正解だと思いますが（笑）。原田さんはスサノオのことを出雲の平田の人だと言っているんですよね。さらにもとを辿ると渡来人です。平田へ行ってみて、なるほどと思うのですが、日本海の方へ抜けるためには峠を越えないといけないのに、平田だけは峠がなくて、宍道湖の方へすっと入って来られるんです。ですから、平田というのは出雲の内海の沿岸でも特殊な場所だったんだと思います。とにかく朝鮮半島とのつながりは日本の古代史の中では圧倒的だったという気がしますね。

**坂本**　僕は諏訪の先住民族、守矢とその神であるミシャグジ[9]にとても興味があります。諏訪は非常に特殊な場所で、先住民と出雲系とそれを追いかけてきた大和系の三層の部族の痕跡が何千年の歴史を経て、いまだに目に見える

## 日本は非常に多様性をもった

> 文化であるはずだ
> ——坂本龍一

形で残っている素晴らしい場所ですね。僕が18歳ごろから古代史に興味をもち始めたのは、直感的に日本人が単一民族であることは絶対に誤りだと感じたからでした。日本列島は地理的にみて、さまざまな時代を通して多くの人々が北、西、南から入って来ていて、非常に多様性に満ちていると思ったからです。

**安彦**　僕の一番新しい古代史シリーズは『ヤマトタケル』なのですが、ヤマトタケルを描くときに面白いと思ったのが、ヤマトタケルは東北まで遠征に行った帰りに諏訪湖の方へ向かうのですが、なぜか諏訪湖の手前で大回りをして、秩父へ抜けて、尾張の方へ帰ります。諏訪湖周辺はそれほど非常にミステリアスなゾーンだったんだと思います。縄文から始まって、タケミナカタの怨念も含め、重層的に何かが籠もっていて、それをヤマトタケルも感じて、敢えて難コースを取ったのではないかと僕は勘ぐっています。

## 一度立ち止まることで見えてくるものがある

**坂本**　古代の人たちは自分たちが征服した

民の怨念というものを非常に恐れますね。それが故に征服した部族の神に対する礼も尽くします。

**安彦**　確かになぜ出雲が聖地か？　というと、被征服民、あるいは先住民の怨念の籠もる場所だからだと僕は思います。

**坂本**　被征服民と、その神に対する畏れとリスペクトを古代史では強く感じます。現代の権力者たちが自分らの敵に対するリスペクトをどれだけもっているのか？　トランプなんかを見ていると疑問をもってしまいますね。

**安彦**　別の論点になりますが、僕もトランプは大嫌いです。

## 合理的な視点だけでは見えてこない

しかしアメリカの保護主義の大本にはグローバリズムの矛盾があります。これからグローバリズムの諸問題が相対的に小さく扱われていくのではないかなと危惧しています。

**坂本**　確かにむしろ次の政権になって、新しい形でのグローバリズムが加速することも考えられますね。

**安彦**　エマニュエル・トッド[10]は、「トランプは大嫌いだけども、大統領選挙ではトランプを心の中で応援している」と言っていました。ある意味で理解できます。アメリカはグローバリズムの恩恵を受けて、いい夢を見てきた

## ものがある
## ——安彦良和

けれども、それがどうもいいことばかりじゃなくなったとき、トランプが出てきたから。

**坂本**　リベラリズムの側からそういう論調が見られますね。トランプは人格的にひどいという個人の問題は別にして、大局的に見るとブッシュやオバマの方が政策的には悪い。だからバイデンがオバマ政策を引き継ぐとしたら非常に問題だと。しかし、そうは言ってもトランプは史上最悪の米大統領ですよ。

**安彦**　リベラルの側の人たちがもう一回立ち止まって、「リベラルとはなんだ」というようなことを考える契機になればいいなと思います。完全に行き詰まっている古代史研究の世界

でも、古代史を神社伝承から考えようと言うと、リベラルの人たちはものすごく嫌います。しかし、リベラルで合理的な視点だけでは、どうしても見えてこないものが、この世の中にいっぱいあるんだという感じがしますね。

2021年3月号

1　昭和初期の満州を、自らの過去やアイデンティティを探る青年の視点で描いた。著者自身が歴史的記録を掘り起こし、満州国のユダヤ人問題にも触れながら、史実と創作を融合させた作品。

2　財政政策によるデフレや市場の暴落や増税によって困窮を極めた埼玉県秩父郡の農民が、明治17年に政府に対して負債の延納などを求めて起こした武装蜂起事件。最大で約1万人が参加。

3　大正時代のシベリア出兵を舞台に、陸軍軍曹と新聞記者の青年ふたりがロシアの戦場を生き抜く姿を描いた。『月刊アフタヌーン』（講談社）にて連載中。2023年8月現在、9巻まで発売されている。

4　1855年生まれ（1936年没）。土佐藩出身の郷士。明治15年、アイヌ集落の北海道・上湧別町へ開拓に入った最初の日本人であり、畑作物の栽培に献身し、アイヌの父とも言われた。

5　1975年から約1年間、NETテレビ系列で放送されたロボットアニメ。監督は全50回中、前半を富野由悠季氏が、後半を長浜忠夫氏が担当した。安彦氏が初めてキャラクターデザインを手掛けた作品でもある。

6　1926年、福島県生まれ（2015年没）。古代史研究家。東北大学卒業後、高校教諭などを経て、昭和薬科大学教授に就任。著書『「邪馬台国」はなかった』『失われた九州王朝』『盗まれた神話』など。

7　1903年、千葉県生まれ（77年没）。日本大学卒業後、講談社『講談倶楽部』編集長を務める。その後、のちの婦人生活社である同志社を創立。神社を巡り古代史の研究を続け、『古代日本正史』『上代日本正史』などを上梓。

8　日本神話に登場する神。諸説あるが、原田常治によれば、出雲の古代王者であり、九州の邪馬台国を征服した。現在は、厄払いの神として信仰され、埼玉県の氷川神社などが主祭神としている。

9　長野県の諏訪地域に古代から伝わる神または精霊であるが、呼び名や諏訪大社との関係性、正体について諸説ありいまだ謎が多い。

10　1951年生まれ。フランスの歴史人口学者、家族人類学者。ケンブリッジ大学にて博士号取得。緻密な統計調査を基に現代社会を分析し、問題提起する。著書『最後の転落』『帝国以後』など。

## 『王道の狗（いぬ）』

安彦良和 著　中公文庫コミック版

明治22年、北海道開拓に使役させられた若いふたりの囚人が脱獄を決意し蝦夷の地を逃走する。彼らは自由民権運動に関与したため過酷な懲役労働を課せられていたのだった。本書は、明治時代の東アジア史を背景に、王道を求めて横溢する若者の姿が描かれる。1998年から2000年に講談社刊『ミスターマガジン』で連載、2004年に白泉社より加筆・修正された完全版が発売された。第4回文化庁メディア芸術祭のマンガ部門優秀賞を受賞。明治後期『天の血脈』、昭和初期『虹色のトロツキー』に並ぶ、安彦近代史シリーズのひとつでもある。

**安彦良和**：1947年、北海道生まれ。漫画家。弘前大学除籍後アニメーターとして活動。『宇宙戦艦ヤマト』『機動戦士ガンダム』などを手掛け、89年、専業の漫画家に転身。著書に『アリオン』『ナムジ』など。

# Genjiro Okura

大倉源次郎

*Noh performer*
*1957–*

*#36*

## 大倉源次郎

若いころから一貫して保守的な日本の伝統文化を嫌悪していたし、ましてや「花鳥風月」などは金持ちの道楽ぐらいにしか思っていなかった。唯一好きなのが「雅楽」だった。西洋音楽の対極と言っていいほど不思議な音楽だと感じ、ただただその音色に魅せられていた。

50歳になったころ、アフリカに何度か行く機会があり、動物や植物、特に鳥の美しさに目を奪われる自分がいた。「これってまさに花鳥風月だよな」と気づいたときは思わず苦笑してしまった。自分が歳をとって堕落したのか、あるいは伝統文化の豊かさへの気づきとなったのか。とにかくそこから日本の伝統文化への興味が芽生えた。最初に試みたのは、大好きな詩人イェイツの戯曲『鷹の井戸』[1]と、その影響で戦後日本で創作された新作能『鷹姫』[2]を合体し、インスタレーションとともに上演してみることだった。野村萬斎さんに相談すると、トップの能楽師の方々を連れてきてくださり、その中のひとりが大倉源次郎さんだった。大倉さんはその後人間国宝になられたが偉ぶることなく、とても話しやすい人で、そのときから僕たちの交流は始まった。

『能から紐解く日本史』はまさに能から透けて見えてくる日本史の裏側を教えてくれる。特に大倉さんが強調されているふたつのことに僕はとても興味をもった。

ひとつは能の成り立ち。大倉さんによれば、その昔、奈良盆地にはたくさんのアジアの人々が住んでいた。こちらの山には朝鮮半島の人々、こちらの村には中国から来た人々、また大和政権以前の先住民族などもいて、ひとつの地域にさまざまな国の人たちが交ざり合って住んでいた。東大寺の大仏開眼のお祝いのために遠路はるばる来日したアジア各国からの何千人もの楽士や舞人の中にはそのまま奈良に居ついてしまった人たちもいただろう。それらの人たちのそれぞれの国の芸能文化が奈良盆地で交ざり合い、醸成されて何百年後に花開いたのが能なのだ。大倉さん自身も、自分は渡来系の秦氏に由来していると記している。

秦氏は一説には秦国に由来するともいわれ、日本には3世紀ごろに朝鮮半島から渡ってきたという。織物や土木技術、医学など進んだ文化・技術を日本に伝えた有力氏族のひとつで、時の朝廷からも重用された。能楽師はその秦氏の系統から出てくるのだ。このように能が東アジアの多様な文化のルーツをもつことに僕は非常に興奮を覚えるし、能の中には縄文から受け継いだDNAも混入していると感じている。

もうひとつ、僕の興味を惹いたのは大倉さんの強調する「権現思想」の存在だ。仏教勢力と神道勢力との争いは、蘇我氏と物部氏の戦いで有名なように長らく続いていた。明治になってさえ廃仏毀釈が起こるわけで近現代にもその対立は受け継がれているともいえる。権現思想はその争いに対して神仏習合を唱え、和平を促そうとしたものだ。元来日本人は草木や山河にも神が宿るというアニミズム的な生命観をもっているが、それらの神は仏が日本の地で仮に現れたのだ、というのがその考え。大倉さんはこの権現思想が能のバックボーンにあると言う。能は和平の芸能なのだ。

2021年6月に発表した僕の舞台作品『TIME』[3]が、『ニューヨーク・タイムズ』紙に取り上げられ、恐れ多くも「『TIME』は能である」と評された。僕自身は能だとは思わないが、能から大きく影響を受けたことは確かだ。『TIME』には僕が夢を見ているのか、夢の中の僕が現実という夢を見ているのかわからない状態が背景にあるが、これは荘子の「胡蝶の夢」のようでもあり、オーストラリアの先住民族の世界観のようでもあり、「夢幻能」にも近いのかもしれない。

2022年2月号

## 『能から紐解く日本史』

大倉源次郎 著　扶桑社

著者・大倉源次郎が、室町時代から古代日本の歴史を能楽の観点で独自に解釈した一冊。本書は能楽に関する基本的な知識や演目、現在の能の形ができるまでの歴史の解説から始まる。以降は「翁」「花筐」「養老」「高砂」「大江山」など、30以上もの能楽の演目を解読しながら、その裏に隠された宗教、渡来人、記紀、戦国武将、天皇、文化遺産などとの深い関係性について縦横無尽に推定していく。ページ内に掲載されたQRコードから、解釈のもとになった演目を動画で観ることもできる。

**大倉源次郎**：1957年生まれ。能楽小鼓方大倉流16世宗家。誰もが「能」と気軽に出合えるよう「能楽堂を出た能」をプロデュースし、企画・演出・講演などを行う。2017年に重要無形文化財保持者（人間国宝）各個認定。

1　アーネスト・フェノロサの能に関する草稿に影響を受けた戯曲。1916年、ロンドンで初演。ケルトの英雄が不死の水を求めて井戸に辿り着くが、井戸を守る鷹のような女に惑わされ、機を逃してしまう。

2　日本古来の芸術とケルト神話の世界が融合した『鷹の井戸』を、横道萬里雄が能の形式へと翻案した新作能『鷹の泉』。それをさらに改良し、1967年に観世寿夫らによって上演された。

3　ダンサーの田中泯、笙奏者の宮田まゆみが出演し、アムステルダムで開かれた「ホランドフェスティバル2021」で世界初演。夏目漱石の『夢十夜』の第一話と能の『邯鄲（かんたん）』がモチーフとなっている。ダムタイプの高谷史郎氏との共作。

# 2023年の坂本図書

坂本龍一×鈴木正文

2023年3月8日（水）14時過ぎ。
坂本龍一さんが最近読んでいるという
10冊の本を前に、ふたりの対話が始まる。

## 『鷗外近代小説集』

森鷗外 著　岩波書店　古書

2012年に森鷗外生誕150年を記念して刊行された。鷗外が自身の生きる時代を舞台に描いた小説・戯曲を集めた全6巻の選集。全作新字に改められ、現代に馴染みのない表現には注釈が付されている。第一巻には、ドイツ三部作「舞姫」「文づかひ」「うたかたの記」など9篇を収録。第二巻「鶏」「金毘羅」「沈黙の塔」など21篇。第三巻は単行本未収録作品「灰燼」など10篇。第四巻は鷗外初の長編である教養小説「青年」。第五巻「走馬灯」「分身」「カズイスチカ」など13篇。第六巻「かのやうに」「雁」など10篇を収録。

## 『漱石全集』

夏目漱石 著　岩波書店　古書

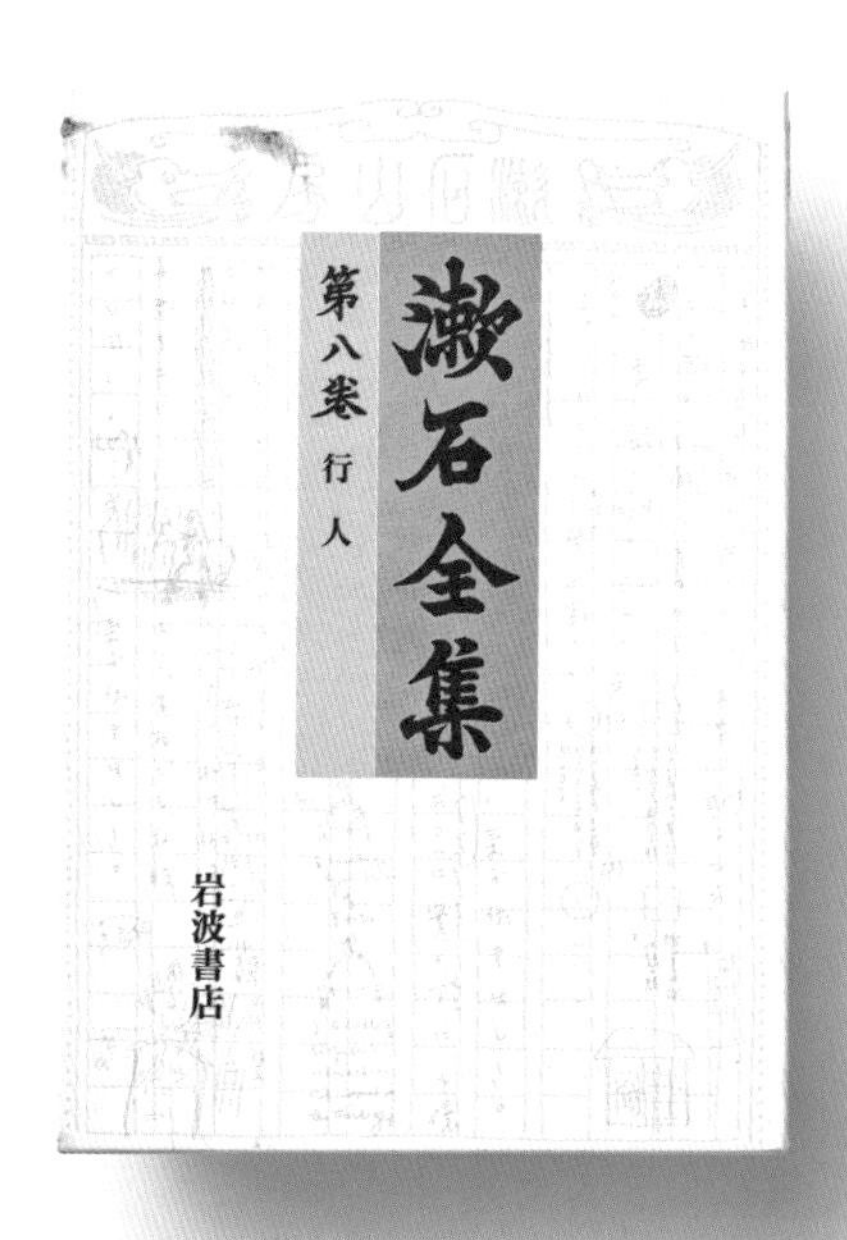


『漱石全集』はこれまで何種も刊行されてきたが、坂本が『行人』を読んだのは岩波書店が1993年から刊行したシリーズ。第一巻「吾輩は猫である」から始まり、「坊っちゃん」「倫敦塔」「草枕」「二百十日」「野分」「虞美人草」「坑夫」「三四郎」「それから」「門」「彼岸過迄」「行人」「心」「道草」「明暗」といった小説作品のほか、漱石の英文学者としての仕事や評論、日記、俳句、言行録、書簡、それら全集の総索引などを全28巻・別巻1冊に収録。

## 『不合理ゆえに吾信ず』

埴谷雄高 著　現代思潮社　古書

1950（昭和25）年、月曜書房にて刊行。埴谷雄高のアフォリズム集であり、単行本一冊目。1939年10月に山室静、平野謙、本多秋五、荒正人、佐々木基一、小田切秀雄らとともに創刊した同人誌『構想』に初出、終刊7号まで掲載。当時は「Credo, quia absurdum.」というタイトルだった。また同誌創刊号と第2号には埴谷の中篇「洞窟」も掲載。本書はこれまで数種刊行されているが、本対談で紹介しているのは1961（昭和36）年に現代思潮社から刊行されたもの。装丁は粟津潔。詩人・谷川雁と埴谷の往復書簡も収録。

## 『夷齋風雅』

石川淳 著　集英社　古書

1988（昭和63）年刊行。夷齋（いさい）と号し親しまれた石川淳最後の随想集。「和・漢・洋の世界を自在に往来する夷齋先生が、該博な知識をもとに言葉の仕掛けをたのしみ、心のおもむくまま時空にあそぶ」（帯文より）。雑誌『すばる（昴）』で1983年1月号から12月号にかけて掲載された「夷齋風雅」と、同誌1986年1月号から12月号にかけて掲載された「續夷齋風雅」を収録。「夷齋風雅」では「忘言」など12篇、「續夷齋風雅」では「神仙」など12篇が収められている。冒頭にはエッセイ「忘言」の直筆の原稿用紙が掲載された。

## 『黙示』

富沢赤黄男 著　俳句評論社　古書

1961（昭和36）年に100部限定で刊行。『天の狼』『蛇の笛』に続く三冊目の句集。富沢赤黄男が生前に刊行した句集はこの三冊のみ。刊行から約半年後、59歳で永眠。「草二本だけ生えてゐる　時間」や、「零の中　爪立ちをして哭いてゐる」など、収録された90句すべてに一字空けの技法を用いた。象徴主義的と評された赤黄男作品の中でも、象徴性、抽象性を極めた一冊。

## 『日和下駄』

永井荷風 著　東都書房　古書

雑誌『三田文学』1914年8月号に発表された随筆。15年6月号まで全9回にわたり連載。同年11月、序文の追加と全11章に再編成、章ごとの表題が付され籾山書店から刊行。『第一　日和下駄』、『第二　淫祠』、『第三　樹』、『第四　地図』、『第五　寺』、『第六　水　附　渡船』、『第七　路地』、『第八　閑地』、『第九　崖』、『第十　坂』、『第十一　夕陽　附　富士眺望』からなる。本対談で紹介されたのは1957（昭和32）年、500部限定で東都書房から刊行されたもの。晩年の荷風を支えた相磯凌霜による別冊『日和下駄余話』を付す。

# 『意識と本質—精神的東洋を索めて—』

井筒俊彦 著　岩波文庫　古書

雑誌『思想』1980年6月号に発表。1982年2月号までに全8回、断続的に連載された。1983（昭和55）年、岩波書店にて刊行。東洋哲学の諸伝統を地理的領域・時間軸から外した「東洋哲学の共時的構造化」を試みる、井筒の代表的著作のひとつ。坂本の本棚には2001年、岩波書店刊行のワイド版が並ぶ。本書には「意識と本質」以前に発表された、井筒による3つの小論文、雑誌『理想』1979年12月号掲載「本質直観」、同誌1975年2月号掲載「禅における言語的意味の問題」、『思想』1979年1月号掲載「対話と非対話」が加筆訂正し収録されている。

## 『無門関』

西村恵信 訳・注　岩波文庫

1994年刊行。中国宋代の僧・無門慧開（1183–1260）が編んだ公案集。禅宗において修行僧が老師から与えられる課題「公案」と、後進の参禅者の道標となる「古則」を紹介するもの。古今の禅者たちによる問答商量の中から選ばれた四十八則に、無門の評唱・頌が付されている。原文（漢文）、訓読文、語注、現代語訳で構成。

## 『井筒俊彦 英文著作翻訳コレクション 老子道徳経』

井筒俊彦 著　古勝隆一 訳　慶應義塾大学出版会

2017年刊行。1950年代から80年代にかけて井筒俊彦が英文で著した代表著作を、本邦初訳で提供する「井筒俊彦　英文著作翻訳コレクション」第1弾。中国古典『老子道徳経』の伝統的な解釈に向き合い忠実に言葉を選びながら、神秘主義的な解釈を施した井筒独自の『老子道徳経』が展開される。井筒の東洋哲学において特別な存在であった老子とその思想。序文では老子と『道徳経』について簡潔かつ明快に解説しつつ、老子哲学観を提示。原文と訓読文を補い、訳者による解説と索引も収録。

## 『中国の思想［XII］荘子』

岸陽子 訳　徳間書店

1996年刊行。言語論、他者論、自由論など、中国古典の枠を超えて幅広い思想が展開された『荘子』は、荘子の自著とされる「内篇」7篇と、後人の手によって「内篇」を寓話や説話の形でわかりやすく説いた「外篇」15篇、愉快な物語で説いた「雑篇」11篇の全33篇からなる。本書では、33篇の中から「内篇」の全篇（『逍遙遊』『斉物論』『養生主』『人間世』『徳充符』『大宗師』『応帝王』）と、「外篇」「雑篇」の著名な話や成語の出典となったものを抜粋し現代日本語訳した。

**『鷗外近代小説』森鷗外**
**『漱石全集』夏目漱石**
**『不合理ゆえに吾信ず』埴谷雄高**

**鈴木**　たぶん、坂本さんに言われなければ、永井荷風を再び読んでなかったと思うんですよ。

**坂本**　はい。

**鈴木**　でも、坂本さんが最近読んでいるとお聞きしたので、また読んでみようと思って、たまたま手元にあった荷風の『鷗外先生』[1]を読んでみたんですけど……、面白いですね。

**坂本**　面白い。

**鈴木**　でも、荷風と一緒に鷗外を読まれていると聞いて、少し意外でした。

**坂本**　おっしゃる通りで、僕は森鷗外には興味なかったんです。

**鈴木**　そうですよね。

**坂本**　中学、高校ぐらいになって、本にも興味をもち始めて、家には本がたくさんあったから目に触れるんですけど、圧倒的に漱石なんですよ。

**鈴木**　鷗外だったら、『ヰタ・セクスアリス』[2]ぐらいですかね。

**坂本**　うん。あと、僕は早熟だったたから、中学生のときだったら、バロウズの『ジャンキー』[3]とか。読むというか、見るというか。「かっこいいな」「カット・アップか」みたいな（笑）。

鈴木　それは早熟ですね（笑）。

坂本　そんな自分の中では、近代日本文学といえば漱石だった。漱石を読んでいたから、その後に柄谷さんにつながっていくんです。柄谷さんは漱石の評論が原点なんで。[4]

鈴木　江藤淳のほうには行かなかったんですね？[5]

坂本　高校生のときに「文章うまいなあ」と思って少し行きましたけど、追求はしなかった。

鈴木　僕は政治的な偏見で江藤淳を嫌っていましたから、僕も行きませんでしたね。

坂本　同じく。

鈴木　では、漱石から柄谷さんに行ったわけですね。

坂本　あと、そのころの流れでいうと、高校に入ってすぐ政治に興味があったから社研に行くわけです。

鈴木　社会科学研究会、あ、新宿高校は社会科学研究部でしたね。[6]

坂本　新宿高校の、戦前からある古い校舎の中に部室があって。当時、立川の砂川闘争のころだから、2、3年の先輩が血を流して、包帯巻いて帰ってくるんですよ。それを見て、「かっけえ」って思ってね（笑）。[7]

鈴木　「かっけえ」ですか（笑）。

坂本　その中にいた3年生の先輩と仲良くなって、その先輩が政治もやっていたんだけど、文学もやっていて。和歌なんかも詠んでいてね。

鈴木　そうですか。

坂本　すごくかっこいい人で。ニヒルでね。その人と図書館に一緒に行って、「これ読めば」って薦められたのが、埴谷雄高[8]だった。

鈴木　そうですか。それはお父さまが作られた本ですよね、きっと。

坂本　そのとき、初めて漢字で「埴谷雄高」を見たんですよ。「はにやゆたか」という名前は音ではしょっちゅう聞いていたんです。親父が「はにやさん」ってよく言っていたから。変な名前だなって思っていたくらいで。でもその図書館で初めて漢字で認識したんです。

鈴木　面白い話ですね。

坂本　そのときに手に取った本が『虚空』[9]でした。それを夢中で読んで、『不合理ゆえに吾信ず』もすぐ手に入れて。これ、かっこいい本じゃないですか。「なんだ、これ」ってぐらい、かっこいい。

鈴木　装丁も素晴らしいですよね。

坂本　アフォリズム[10]という形式もこれで初めて知ったんです。

鈴木　そうなんですね。

坂本　それから『死霊』[11]を何十年もかけて書いているってことを知り、しかも、うちの親父が最高に尊敬している著者だということもあって、親戚の偉いおじちゃんみたいな感じで思っていました。

鈴木　当然、そのとき、お父さまは現役で

埴谷さんの担当編集だったんですよね？

**坂本**　直接担当していたのかわかりませんが、親しくさせていただいたのだと思います。

＊

**坂本**　森鷗外はほとんど興味なくて……、『舞姫』[12]ぐらいかな。

**鈴木**　あれはひどい話ですよね。

**坂本**　そう。True storyと聞いちゃってたんで、「なんだこいつ」って思ってね（笑）。軍医で、それも陸軍の医療のトップ。

**鈴木**　そして、国のお金でドイツに行っているわけですからね。

**坂本**　最悪じゃないですか。反感をもって、読んでなかったですね（笑）。だから鷗外を読んだのは、つい最近です。この数年。永井荷風をパラパラと読むようになって、その荷風が鷗外のことを尊敬していて、鷗外も荷風のことを可愛がっていて。そこで鷗外が住んでいた観潮楼（かんちょうろう）[13]のことなども知ったんです。観潮楼、いい名前ですよね。

**鈴木**　今の千駄木あたりから東京湾が見えたらしいんですよね。

**坂本**　いいところですよね〜。そこに歌人が集まっていたらしく、荷風も足繁く通って、三田文學[14]のこととか、いろんなことをそこでやっていた。

**鈴木**　いい時代ですよね。

**坂本**　荷風が書いているけど、自分が小説を書くときには鷗外の作品を読んでから書くと。美術の評論をするときには鷗外の訳した美術関係の本を読むと。そして、自分のところに文学志望の書生が来たら、まずは「鷗外全集を読め」と言っていたらしいんです。

**鈴木**　そうらしいですね。

**坂本**　最初の鷗外全集は38巻もあります。小説も、訳書も、評論も入っていて、一冊一冊が分厚くて、膨大な労力をかけて書いている。

**鈴木**　ものすごいですよね。

**坂本**　鷗外は夕方まで医局に勤めて、その仕事を終えて、家に帰ってから夜に書いていたというんだから、いやあ、ちょっと、並の人ではないですよね。

**鈴木**　時代より先に行き過ぎちゃった人って、荷風が書いていましたよね。鷗外は51歳ぐらいで退官して、それから時代考証ものを書き始めたんですよね。

**坂本**　『渋江抽斎』[15]とかね。石川淳[16]は『渋江抽斎』を日本近代文学の最高の文章であるって言ってますよね。石川淳も鷗外にぞっこんで、かなり影響を受けています。

*

**坂本**　鷗外の小説は面白いんだけど、ドラマを観ているみたいな感じで。

**鈴木**　なるほど。

**坂本**　何て言うのかな……、知的な作業に感じてしまう。で、その反動なのか、漱石を読みたくなって、漱石を読み出しちゃってるんです。今は『行人』[17]を読んでいるんですけど、やっぱり違うんですよね。

**鈴木**　どんな違いが？

**坂本**　風景描写は鷗外はすごくうまい。ところがドラマとして、グイグイ迫ってくるのは漱石のほう。漱石のほうが僕の胸にどんどん刺さってくる。そこは、公人であった森鷗外と、お上の仕事は全部辞めて、私人になった漱石との違いかなと思いますね。あと、当時は、精神病理学というよりは心理学だったけど、それに対する漱石の鋭い探究心が僕には刺さってきますね。だから、今は鷗外のことを思いながら、漱石を読んでます（笑）。

**鈴木**　『行人』って最初に読んだのはいつごろですか？

**坂本**　大学一年ぐらいかな？

**鈴木**　面白かったですか？

**坂本**　よくわからなかったし、あんまり面白くなかった。

**鈴木**　そうですよね（笑）。

**坂本**　やっぱり、『三四郎』[18]や『こころ』[19]とかを面白いと思って読んでいましたよ。でも中年になって、『草枕』[20]が大好きになって、何度も読みました。

**鈴木**　それって40歳ぐらいですか？

**坂本**　もうちょっと上かな。45歳ぐらい。

**鈴木**　ニューヨークに行くころですか？

**坂本**　うん。まあ、漱石は尽きないですね。

**鈴木**　『行人』はどのあたりが良いんですか？

**坂本**　お兄さんがどんどん狂っていくんですよね。神経衰弱になっていって。読んでいて怖いぐらい。新聞で連載されていた作品ですから、結構なページ数を使って、ゆっくりと進行していくんです。読んでいて、胸にきますよ。

**鈴木**　それに比べて、鷗外は……。

**坂本**　短いですよね。

**鈴木**　感情に入り込んでいくような筆致ではないですもんね。

**坂本**　わりと客観的だと思います。科学者だからな。設定は面白いんだけど、客観的だから、深くはないなと感じてしまう。だから楽しいんだけど、そういう意味でドラマを観ている感じがしてしまって、もっと深いものを読みたくなってしまうんです。

＊

**坂本**　それと別の話なんですけど、歳を取れば取るほど、古書というものに惹かれていっていて。親父も古書を集めていましたけど。なんかね、本って情報を得るためだけのメディアではないので。

**鈴木**　違いますよね。

**坂本**　質感とか、紙やインクの匂いとか、装丁とか、ある種、美術品、オブジェとしての良さじゃないですか。だから読まなくても、持っていたい。

**鈴木**　あるだけでいいんですよね。

**坂本**　そう。眺めていたい。経年劣化した紙の色とかね。素晴らしい装丁の本もたくさんある。そういうものがかけがえないなと思って、どんどん好きになっちゃって。今や、「古書がないと生きていけない」とか言ってるんですよ（笑）。

**鈴木**　そうですか。それはいつごろからそんな感じに？

**坂本**　この10年ぐらいかな。

**『夷齋風雅』石川淳**

**坂本**　『夷齋風雅』。素晴らしいでしょ。綺麗な本。私家版。

**鈴木**　触っていいですか？　いいですねえ。

**坂本**　装丁が素晴らしくて。

**鈴木**　１９８８年にこんな本を出してるんだ。すごい。

**坂本**　石川淳はとにかく文章が上手で読んではいたんですけど、あるとき、すごくハマっちゃって。鷗外と荷風じゃないけど、石川淳と吉田健一[21]の関係性で読むようになったんですよ。最初は吉田健一を読み始めて、読み進めるなかで石川淳とのつながりを知って、そこから石川淳も読み始めて、すごく面白くて、ハマっていきましたね。それでこういう綺麗な古書を何冊か手に入れて。

## 『黙示』富沢赤黄男

**坂本** そして、これ、富沢赤黄男。

**鈴木** 僕、この方は全く知りませんでした。

**坂本** 俳人です。この本も素晴らしいんです。『黙示』は彼の最後の句集です。綺麗でしょ。こういう本を今ももっと作ってほしいよね。自分で作れるなら、こういう本を作りたい。

## 『日和下駄』永井荷風

**坂本** この『日和下駄』もいいでしょ。

**鈴木** 箱入りで、素晴らしいですね。

**坂本** 初版じゃないけど、綺麗でしょ。

**鈴木** これでお読みになるんですか？

**坂本** これで読みました。

**鈴木** そうですか。

**坂本** 荷風本人が描いた絵も入っていて。

**鈴木** これはすごいな。限定500冊のうちの378だ。昭和33年に出版されてますね。僕は文庫本で読みましたけど、これでお読みになったってのはすごい。

**坂本** 最初はKindleで読み始めたんですけど、これはちゃんとした本で読まないといけないと思って、探して買ったんですよ。そういう本ってありますよね？

**鈴木** ありますね。

**坂本** Kindleだと、サンプルで少し読めるじゃない？

**鈴木**　試し読みができますね。

**坂本**　これは内容的に本で読みたいなと思うと、Kindleで読まずに本を探すんです。音楽もそうなっているでしょ。ストリーミングで聴いてみて、これはアナログでほしい、とか。昔に比べて、便利ですよね。

## 『意識と本質―精神的東洋を索めて―』
## 井筒俊彦

**坂本**　今年の誕生日、1月17日に、突然、意識の本質と存在の本質を極めたいと思っちゃったんです。

**鈴木**　思っちゃったんですね（笑）。それで、井筒俊彦の『意識と本質』なんですね。

**坂本**　難しいんですけどね（笑）。そこから仏教の唯識論や中観論とか読み始めていて。かなり難しいんだけど。簡単に言うと、唯識論というのはすべてのものは心が作っているという考えで、晩年の三島由紀夫[22]も入り込んでいて、最後の四部作でも読み取れます。中観論は、『中論』[23]を著したナーガールジュナが発端とされていて、唯識に近いけど、また別のものとしてあって。唯識論や中観論は日本の仏教の基礎になっていて、お坊さんたちはみんな学ばないといけないとされているものです。今、僕はそれらに関する本を読んでいるんだけど、正直、僕にはしっくりこない。論理的な批判の応答ばかりに感じちゃって。僕には知的すぎるっていうのかな。例えば、禅のように「すべては無である」と言ってくれちゃったほうが僕にはしっくりくるんですよね。

**鈴木** なるほど。この井筒さんの本にも、西洋的な概念の組み立てを利用しながら、東洋の精神の本質に迫っていくと書いています。

**坂本** 微に入り細に入り、追求していく方向があるんですよ。お坊さんになるには必要かもしれないけど、僕はお坊さんになりたいわけではなくて、取り入れたいだけだから。ちょっと難しかったなあと思いましたね。

**『無門関』西村恵信訳・注**
**『井筒俊彦 英文著作翻訳コレクション 老子道徳経』**
**『中国の思想[XII]荘子』岸陽子**

**鈴木** 井筒俊彦から『無門関』に入って行くんですか?

**坂本** 井筒さんはずっと前から読んでいたんだけど、井筒さんからというよりは、唯識論や中観論を少しかじってみて、やっぱり、禅が僕には合ってるなという感じで、改めて『無門関』を読んでいたんです。

**鈴木** 合ってるっていうのも面白いですね(笑)。

**坂本** 禅というのは、中国でもともとあった道教と仏教が合体したようなものなので、老子と荘子。比べる必要もないんだけど、かなり違っていて。どちらかと言えば、僕は荘子のほうに興味があるんですよね。

**鈴木**　なんで荘子のほうなんですか？

**坂本**　井筒さんが英語で訳した『老子道徳経』を読んで、改めてそう思いました。親近感があるというのかな。雑多で神話的なことが書いてあったり、人生訓みたいなものがあったり、その中で意識の本質みたいなものがあったり。僕は荘子のほうが面白いと思いますね。

**鈴木**　禅も無になるためには大変ですよね。

**坂本**　完全に無になるのは難しいけど、例えば、呼吸だったりね。入院中、ベッドで寝ていて、痛みがあるときに、「この痛みは無だ」とか言って、真剣にやっていましたよ（笑）。

**鈴木**　去年とか？

**坂本**　うん。

**鈴木**　どうでした？

**坂本**　痛いのは痛いんですけどね（笑）。でも、それは自分の意識が痛がっているだけだって、客観的に考えることで、すべてを支配するような痛みが少し遠のく感じはしますよ。

**鈴木**　坂本さんにとっては実践的なんですね。

**坂本**　だからなのか、今年の誕生日に〝存在と意識〟を極めたいと思ったんですよ。

鈴木　ほかにも読まれました？

坂本　存在論というのは、西洋哲学で初期からずっとあるわけですよね。「存在とは何か？」のような。その中でも最初に体系を築いたのはアリストテレスだから、『形而上学』[24]も読み始めています。

鈴木　そこもいきますか。

坂本　ハードルが高そうに思うでしょう。

鈴木　なんだか面倒臭そうな感じがします。

坂本　読み始めたら、面白くてね。スラスラ読めるんですよ。

鈴木　そうですか。

坂本　で、次はカントかなと思って、カントも読んだりして。誕生日以降は埴谷さんもまた読み始めちゃいましたね。

鈴木　それで『不合理ゆえに吾信ず』だったんですね。

坂本　それだけではなくて、『死霊』の5巻と9巻が読みたくなって。全集はニューヨークにあるから、こっちで買ってね。いろいろと読みたくなっていますよ。漱石、鷗外の流れもあるし、ゴチャゴチャです(笑)。

鈴木　何冊か平行してお読みになるんですよね？

坂本　もちろん。だから、読みかけの本もたくさんあります。

鈴木　一冊を集中して読み切ることは？

坂本　昔からそうしようと試みるんですが、なかなかそうはできないんですよね。いろんな本を平行して読みながら、途中だけど、一度、本棚に戻したり、また取り出したり、本棚の並びを入れ替えたりして。関心もどんどん変わっていくから、新しい本もどんどん増えてしまうし……。

**鈴木**　新しい本は買った安心感もあるから、ちょっと置いておいたりして。

**坂本**　そうそう。僕も積読派ですよ。

**鈴木**　今はこのあたりの本を行ったり、来たりして？

**坂本**　鷗外を読んで、荷風に戻ったり、途中で荘子や老子も読んだり、埴谷さんに行ったり。本当にこのあたりの本を行ったり、来たりしています。

**鈴木**　ちなみに、今、読書の時間はどれぐらいですか？

**坂本**　2、3時間ぐらいかな。観たい映画もドラマもあるし、聴きたい音楽もあるし。本当に大変ですよ。忙しくて（笑）。

鈴木正文（すずき・まさふみ）：編集者・ジャーナリスト。CM製作会社進行助手、海運造船業界紙記者などを経て二玄社に入社。『NAVI』（二玄社）、『ENGINE』（新潮社）、『GQ JAPAN』（コンデナスト・ジャパン）各誌の編集長を務めたのち2022年に独立。著書に『○×まるくす』（二玄社）、『走れ！ ヨコグルマ』（小学館文庫）、『スズキさんの生活と意見』（新潮社）など。坂本龍一の2冊の自伝、『音楽は自由にする』および『ぼくはあと何回、満月を見るだろう』（新潮社）では、聞き手を務めた。

1　森鷗外への追悼文「鷗外先生」は1909年『中央公論　第二十四年第九號』で初出。2019年、中公文庫から文庫オリジナル編集で刊行。「鷗外先生」ほか、向島・玉の井・浅草をめぐる文章、自伝的作品などを収録。巻末に谷崎潤一郎、正宗白鳥の批評を付す。

2　1909年、雑誌『スバル』に発表。主人公が、6歳から結婚する25歳までの自身の性欲的生活を綴った自伝的小説。大胆な描写が話題となり、発行から1ヵ月後に発禁となった。

3　1952年発表。ウィリアム・S・バロウズの最初の小説。肉体と精神の極限を描写する非合法の世界。自身も麻薬常用者であったバロウズの自伝的告白ともいえる一冊。

4　柄谷行人。1941年生まれ。批評家、思想家。69年、評論「〈意識〉と〈自然〉－漱石試論」が第12回群像新人文学賞当選。2022年、バーグルエン哲学・文化賞、朝日賞受賞。著書は多言語に翻訳される。ほか雑誌『批評空間』刊行、社会運動「NAM」の総括など。

5　1932年生まれ（99年没）。批評家。56年、慶應義塾大学在学中に発表した論文『夏目漱石』で注目を浴びる。主な著書に61年『小林秀雄』（新潮社文学賞）、70年『漱石とその時代(第一部・第二部)』（菊池寛賞・野間文芸賞）など。76年、日本芸術院賞受賞。

6　ロシア革命（1917年～23年）後、大学や旧制中学・高校で、社会主義（マルクス主義）の研究サークル「社会科学研究会」（社研）が組織された。新宿高校の前身である東京府立第六中学校にも組織され、坂本の在校中は「社会科学研究部」として部活動を展開していた。

7　1955年から70年代まで続いた在日米軍立川飛行場（立川基地）の拡張計画に反対する住民運動。57年に25人の学生や労働者が逮捕・起訴されたが、後日全員無罪に。68年12月に滑走路拡張計画の中止を発表。翌年11月に立川基地からの米軍部隊撤退が決定。

8　1909年生まれ（97年没）。戦後の文学界を代表する作家のひとり。31年、共産党に入党、翌年に検挙された。45年、雑誌『近代文学』の創刊に参加。主な著書に70年『闇のなかの黒い馬』（谷崎潤一郎賞）、76年『死霊』（日本文学大賞）など。

9　1960年刊行（現代思潮社）。エドガー・アラン・ポーの『メールシュトレームの大渦』に匹敵する小説を書こうという花田清輝との会話から生まれた短篇集。全5篇を収録。

10　人生や日々の生活における物事の真髄を簡潔に言い表した言葉や文章。日本語では「格言」「金言」「箴言」「警句」など。最も著名な例に古代ギリシアの医学者ヒポクラテスの「芸術は長く、人生は短し」がある。

11　1946年1月号から49年11月号にかけて雑誌『近代文学』で第4章まで連載し、療養のため中絶。75年に雑誌『群像』で再開。76年、1章から5章を収録した『定本 死霊』が日本文学大賞受賞。約50年の歳月をかけて全9章まで書き続けられた未完の大作。

12　1890年、雑誌『国民之友』に発表。森鷗外の小説第一作。エリート官僚である主人公・豊太郎が、留学先のベルリンで出会った貧しくも美しい踊り子・エリスと過ごした日々の回想録を綴るという形式で物語が展開される。

13 1892年から亡くなる1922年まで鷗外が家族とともに暮らした家。北原白秋や石川啄木、斎藤茂吉らが参加した鷗外主催の歌会「観潮楼歌会」の会場にも使われた。45年、戦災で建物が全焼。2012年に生誕150年を記念して跡地に文京区立森鷗外記念館が開館。

14 1910年、慶應義塾大学文学部を中心に永井荷風が編集主幹となって創刊した雑誌。森鷗外、谷崎潤一郎、芥川龍之介ら既成の作家のほか、久保田万太郎、佐藤春夫、原民喜、加藤道夫、遠藤周作など、数多の逸材を輩出した。現在は年4回刊行されている。

15 1916年1月から5月にかけて『東京日日新聞』『大阪毎日新聞』で連載。弘前の医官であり考証学者でもあった渋江抽斎の史伝小説。事跡から友人、趣味、性格、家庭に至るまで克明に調べ上げ、抽斎の生涯を描いた。作中には執筆に至る過程も綴られている。

16 1899年生まれ（1987年没)。作家、翻訳家。1935年に『佳人』で作家デビュー。36年、『普賢』で芥川賞を受賞。日中戦争最中の翌年、雑誌『文學界』に発表した『マルスの歌』が発禁処分に。戦後は太宰治らとともに無頼派作家として活躍した。

17 1912年から1913年にかけて『朝日新聞』で連載された長編小説。1914年刊行（大倉書店)。全4篇。『彼岸過迄』に続き、『こころ』につながる、後期三部作の二作目。

18 1908年9月から12月にかけて『朝日新聞』で連載された長編小説。1909年刊行（春陽堂)。『それから』、『門』へと続く前期三部作の一作目。

19 1914年4月から8月にかけて『朝日新聞』で「心 先生の遺書」として連載された長編小説。同年9月、岩波書店より漱石自ら装丁し自費出版という形で刊行された。当時は古書販売を主な商いとしていた岩波書店が、出版社として初めて発刊した小説。

20 1906年、雑誌『新小説』に発表。翌年、春陽堂『鶉籠』に収録された。『吾輩は猫である』の脱稿から10日後に執筆を始め、約2週間で完成された。

21 1912年生まれ（77年没)。評論家、翻訳家、作家。イギリス、中国などで幼少期を過ごす。ケンブリッジ大学を中退し帰国、文筆生活に入る。エドガー・アラン・ポー、ポール・ヴァレリーほか翻訳。『英国の文学』など秀逸な批評、随筆でも知られる。

22 1925年生まれ(70年没)。作家。49年に『仮面の告白』で長編デビュー。ほか54年『潮騒』(新潮社文学賞)、56年『金閣寺』(読売文学賞)、65年『サド侯爵夫人』(芸術祭賞)など。著書は世界各国で翻訳される。剣道、映画出演、ボディビルなどでも知られる。

23 2〜3世紀僧・龍樹（ナーガールジュナ）が著した仏教史上最も重要な理論書。「十二門論」、「百論」と並ぶ三論のひとつ。すべての存在には実体（自性）がないと考える「空の思想」を論理的に解いた一冊。

24 古代ギリシアの哲学者アリストテレス（紀元前384-322）の著書。思考や精神などの目に見えないものを真実在とし、存在の根本原理を探究する学問である「形而上学」はその後、数千百年にわたり西洋哲学に影響を与えた。

# 坂本龍一　年譜

## 年譜（バイオグラフィー）

1952　東京都中野区に生まれる。
1955　「東京友の会世田谷幼児生活団」に入団。初めてピアノに触れ、作曲をする。
1958　港区立神応小学校に入学。徳山寿子にピアノを習い始める。
1959　世田谷区烏山へ転居、世田谷区立祖師谷小学校へ転校。
1962　松本民之助に作曲を習い始める。
1964　世田谷区立千歳中学校に入学。
1967　東京都立新宿高校に入学。
1969　東大安田講堂ほか、多数のデモに参加。新宿高校でストライキを主導。
1970　東京藝術大学音楽学部作曲科に入学。武満徹に抗議するビラを撒き、武満本人と知り合う。
1973　三善晃の作曲の授業に出席。
1974　修士課程に進む。
1975　細野晴臣に出会う。翌年より、スタジオ・ミュージシャン、アレンジャーとしての活動が本格化。
1977　東京藝大大学院修士課程を修了。山下達郎と日比谷野音のライブに出演。会場で高橋幸宏に出会う。

1978　2月、YMO結成。10月、初のソロ・アルバム『千のナイフ』をリリース。タイトルはアンリ・ミショー『みじめな奇蹟（フランス語版）』冒頭の一節から。
1980　9月、ソロ・アルバム『B-2 Unit』をリリース。
1981　10月、ソロ・アルバム『左うでの夢』をリリース。
1982　10月、大森荘蔵との共著『音を視る、時を聴く［哲学講義］』を刊行。
1983　5月、映画『戦場のメリークリスマス』（監督：大島渚）がカンヌ国際映画祭出品され、映画サウンドトラック『メリー・クリスマス・ミスター・ローレンス』がリリースされる。12月、YMO散開。
1984　10月、ソロ・アルバム『音楽図鑑』をリリース。出版社「本本堂」を設立し、高橋悠治との共著『長電話』等を刊行。
1985　10月、アルバム『Esperanto』をリリース。11月、村上龍との共著『EV. Café　超進化論』を刊行。
1986　1月、吉本隆明との共著『音楽機械論』を刊行。4月、ソロ・アルバム『未来派野郎』をリリース。映画『ラストエンペラー』（監督：ベルナルド・ベルトルッチ）撮影に俳優として参加、後に音楽も担当する。
1987　7月、ソロ・アルバム『NEO GEO』をリリース。11月、映画『ラストエンペラー』が公開。
1988　1月、映画『ラストエンペラー』が日本公開、サウンドトラックをリリース。この作品で、アカデミー賞作曲賞、ロサンゼルス映画批評家協会賞音楽賞、ゴールデングローブ賞最優秀作曲賞、グラミー賞映画・テレビ音楽賞など数々の賞を受賞。

１９８９　10月、著書『SELDOM-ILLEGAL／時には、違法』を刊行。11月、ソロ・アルバム『BEAUTY』をリリース。

１９９０　ニューヨークに転居。12月、映画『シェルタリング・スカイ』（監督：ベルナルド・ベルトルッチ）のサウンドトラックをリリース。

１９９１　1月、『シェルタリング・スカイ』で2度目のゴールデングローブ賞最優秀作曲賞を受賞。10月、ソロ・アルバム『Heartbeat』をリリース。

１９９２　7月、バルセロナ・オリンピック開会式でマスゲームの音楽を担当。同月、映画『ハイヒール』（監督：ペドロ・アルモドバル）のサウンドトラックをリリース。8月、村上龍との共著『友よ、また逢おう』を刊行。

１９９３　2月、ＹＭＯ、「再生」を発表し、5月、アルバムをリリース。

１９９４　4月、映画『リトル・ブッダ』（監督：ベルナルド・ベルトルッチ）のサウンドトラックをリリース。6月、ソロ・アルバム『Sweet Revenge』をリリース。

１９９５　10月、ソロ・アルバム『Smoochy』をリリース。

１９９６　3月、村上龍との共著『モニカ──音楽家の夢・小説家の物語』を刊行。5月、ピアノトリオ編成のアルバム『１９９６』をリリース。

１９９７　7月、アルバム『ディスコード』をリリース。映画『愛の悪魔』（監督：ジョン・メイブリー）の音楽を制作。

１９９８　8月、映画『スネーク・アイズ』（監督：ブライアン・デ・パルマ）のサウンドトラックを、11月、

1999　ソロ・アルバム『BTTB』をリリース。

2000　5月、「エナジー・フロー」を収めたマキシシングル『ウラBTTB』をリリース。9月、オペラ『LIFE』を上演。12月、ソロ・アルバム『BTTB』を海外でリリース。

2001　大規模な海外ツアー「BTTB World Tour 2000」を開催。

2002　1月、モレレンバウム夫妻と「Morelenbaum2/Sakamoto」名義でアルバム『CASA』を制作し7月にリリース。12月、9・11を受けて論集『非戦』を刊行。

2003　3月、映画『アレクセイと泉』（監督：本橋成一）、『デリダ』（監督カービー・ディック＋エイミー・Z・コフマン）のサウンドトラック『Minha Vida Como Um Filme "my life as a film"』をリリース。映画『ファム・ファタール』（監督：ブライアン・デ・パルマ）の音楽を制作。8月、「Morelenbaum2/Sakamoto」の活動等が評価され、ブラジル国家勲章受章。9月、父・坂本一亀　死去。

2004　7月、「Morelenbaum2/Sakamoto」名義のアルバム『A DAY in new york』を、10月にはデヴィッド・シルヴィアンとの共作『WORLD CITIZEN』をリリース。

2005　2月、ソロ・アルバム『CHASM』をリリース。11月、ピアノ・アルバム『/04』をリリース。

2006　3月、alva notoとの共作『insen』をリリース。9月、ピアノ・アルバム『/05』をリリース、12月に国内ツアー「PLAYING THE PIANO/05」を開催。

2006　5月、alva notoとの共作『revep』をリリース。11月、「音楽の共有地」創出を目指す新レーベル「commmons」を立ち上げる。

2007　3月、クリスチャン・フェネスとのコラボレーション・アルバム『cendre』をリリース。高谷史郎とインスタレーション《LIFE - fluid, invisible, inaudible...》を制作。7月、森林保全のための一般社団法人「モア・トゥリーズ」設立。

2008　音楽全集「コモンズ・スコラ」シリーズのリリース開始。

2009　2月、『音楽は自由にする』を刊行。3月、ソロ・アルバム『out of noise』をリリース。7月、フランス政府から芸術文化勲章オフィシエを授与される。

2010　1月、母・坂本敬子　死去。3月、芸術選奨文部科学大臣賞（大衆芸能部門）を授与される。5月、中沢新一との共著『縄文聖地巡礼』を刊行。11月、大貫妙子とのコラボレーション・アルバム『UTAU』をリリース。12月、高谷史郎との共著『LIFE - TEXT』を刊行。

2011　3月11日、映画『一命』（監督：三池崇史）のためのレコーディング中に、東日本大震災発生。4月、被災地支援プロジェクト「LIFE311」、被災地支援参加型プロジェクト「kizunaworld.org」、楽器関連の復興支援「こどもの音楽再生基金」を発足。5月、alva notoとの共作アルバム『Summvs』をリリース。8月、坂本龍一＋編纂チーム名義で『いまだから読みたい本――3・11後の日本』を刊行。Fennesz＋Sakamoto『Flumina』をリリース。

2012　1月17日、還暦を迎える。7月、坂本龍一＋編纂チーム名義で『NO NUKES 2012 ぼくらの未来ガイドブック』を刊行。Willits＋Sakamoto『Ancient Future』をリリース。10月から東京都現代美術館の企画展「アートと音楽――新たな共感覚をもとめて」で総合アドバイザーを務める。トリオ編成でのセルフカバー・アルバム『THREE』をリリース。11月、アジア太平洋スクリーンアワード国際映画製作者連盟賞を受賞。同月、竹村真一との共著『地球を聴く 3・11後をめぐる対話』を刊行。

2013 カリフォルニア大学バークレー校から「バークレー日本賞」を授与される。7月、Ryuichi Sakamoto + Taylor Deupree『Disappearance』をリリース。8月、ヴェネツィア国際映画祭メイン・コンペティション部門の審査員を務める。山口情報芸術センター(YCAM)10周年記念事業のアーティスティック・ディレクターに就任。

2014 1月、鈴木邦男との共著『愛国者の憂鬱』を刊行。6月、中咽頭ガンとの診断を受ける。7月、ゲストディレクターを務める「札幌国際芸術祭2014」が開幕。

2015 2月、療養のためハワイに滞在。映画『母と暮せば』(監督:山田洋次)と『レヴェナント:蘇えりし者』(監督:アレハンドロ・ゴンサレス・イニャリトゥ)の音楽を並行して制作。

2016 3月、代表・監督として関わる東北ユースオーケストラの第1回演奏会を開催。9月、音楽を手掛けた映画『怒り』(監督:李相日)が公開。モンブラン国際文化賞を受賞。

2017 3月、ソロ・アルバム『async』をリリースし、4月からワタリウム美術館で「坂本龍一 設置音楽展」を開催。9月、ヴェネツィア国際映画祭で、自身のドキュメンタリー映画『Ryuichi Sakamoto: CODA』(監督:スティーブン・ノムラ・シブル)が上映される。

2018 2月、ベルリン国際映画祭コンペティション部門の審査員を務める。5月、ソウルの「piknic」で展覧会「Ryuichi Sakamoto Exhibition: LIFE, LIFE」が開幕。6月、音楽を手掛けた映画『天命の城』(監督:ファン・ドンヒョク)が日本公開。10月、音楽を手掛けたアニメーション映画『さよなら、ティラノ』が釜山国際映画祭でワールド・プレミア。

2019
2月、李禹煥のポンピドゥ・センター・メスでの個展「Inhabiting time」で会場の音楽を手掛ける。7月、映画『あなたの顔』（監督：蔡明亮）で台北映画祭の音楽賞を受賞。11月、音楽を手掛けた映画『約束の宇宙』（監督：アリス・ウィンクール）がフランスで公開。

2020
3月、コンプリートアートボックス『Ryuichi Sakamoto 2019』をリリース。映画『アフター・ヤン』（監督：コゴナダ）オリジナル・テーマを制作。短編映画『The Staggering Girl』（監督：ルカ・グァダニーノ）の音楽を担当。6月、直腸ガンとの診断を受ける。12月、ガンの肝臓への転移が発覚。

2021
1月、20時間に及ぶ外科手術を受ける。3月、自ら絵付けして割った「陶片のオブジェ」を含む『2020S』アート・ボックスをリリース。北京の美術館「M WOODS」で大規模展覧会「坂本龍一：观音听时｜Ryuichi Sakamoto: seeing sound, hearing time」が開幕。6月、自身がアソシエイト・アーティストを務める「ホランド・フェスティバル」で高谷史郎との共作『TIME』が世界初演される。8月、音楽を手掛けた映画『ベケット』（監督：フェルディナンド・シト・フィロマリノ）がNetflixにて配信開始。9月、音楽を手掛けた映画『MINAMATA—ミナマタ—』（監督：アンドリュー・レヴィタス）が日本公開。

2022
1月17日、古希を迎える。3月、自身が代表・監督を務める東北ユースオーケストラのために作曲した『いま時間が傾いて』が初演される。4月、ロシア軍によるウクライナ侵攻を受け、ヴァイオリニスト、イリア・ボンダレンコに『Piece for Illia』を提供。ダムタイプのメンバーとして、ヴェネツィア・ビエンナーレ日本館とミュンヘンのハウス・デア・クンストでの展覧会に参加。7月、

2023

映画『第一炉香』（監督：アン・ホイ）で香港電影金像奨作曲賞を受賞。

1月、ソロ・アルバム『12』をリリース。3月28日、71歳で死去。6月、音楽を提供した映画『怪物』（監督：是枝裕和）が公開。ニューヨークとマンチェスターで、MR作品『KAGAMI』が上演。『ぼくはあと何回、満月を見るだろう』を刊行。8月、最大規模の展覧会「Ryuichi Sakamoto: SOUND AND TIME」が中国・成都の「M WOODS」で開幕。9月、生前の愛読書の一部を集めたスペース「坂本図書」がオープン。

あとがき

吉田純子

**あらゆる垣根　超えてゆく好奇心**

坂本さんのことを書こうとすると、いろんな人の言葉が次から次へとリエゾンしてくる。
たとえば、三善晃が取材で語ってくれた、こんな言葉。

ひとつの曲に没頭すると、その曲に取り殺されそうな気持ちになってくることがある。死ぬか生きるか、そういう状態で書き続け、五線譜に最後の二重線を引いた瞬間、作品は僕をやっつけて飛び立ってゆく

（2008年10月14日　朝日新聞夕刊記事「三善晃の歩みを奏でる」）

たとえば、吉増剛造がジョナス・メカスのことを想いながら綴った、こんな言葉。

詩作とか芸術行為というのは、「わたし」が主役ではないのです

（講談社現代新書『詩とは何か』）

芸術は、誰にも所有されない。それでいて、誰もが自由に、自分のものにできる。坂本さんが生涯かけて求めた「自由」の本質は、この一見矛盾するような真理の中にあったのかもしれないと、あらためて思う。

「芸術は長く、人生は短い」。この言葉を、坂本さんはこの世界の人々に贈って旅立った。そうして坂本さんの音楽は、かりそめの肉体を離れ、未来の聴衆と出会うための新たな「生」を得た。

新聞記者としていろんな芸術ジャンルの取材をしてきたが、おおげさではなく、かなり多くの場所に、坂本さんが足を踏み入れた痕跡を見る。全く出会うはずのない人たちが、坂本さんを軸に連なっているとしか思えなくなってくるほどに。少なくともこの世界に、坂本さ

んにとっての「他人」はいなかったに違いない。

原発や自然破壊に「NO」を突きつけるだけではなく、自ら積極的に行動せずにいられなかった背景には、単なる優しさだけではなく、自然のおかげで自らの歌を歌えている、自分自身こそが「当事者」なのだという切実な思いもあったのだろう。坂本さんが愛したピアノは、言うまでもなく木でできている。水が、大気が、野性の動物たちが、自身の内なる思いを世界に放つ「声」の土壌を育んでくれた。そうした連想、あるいは循環のイメージも、おそらく坂本さんの無意識に少なからずあったのではないか。

世界の本質を直感でつかむ人は、自身の無意識に対する極めて謙虚で繊細なアンテナをもっているものだ。タルコフスキーや武満徹といった人が、その類いといえるだろう。言葉以前の世界で、他者とつながることができる。そうした人たちに、坂本さんは強く憧れ、自身もそういう人たちに連なりたいと強く願っていたのだと思う。

ひょっとしたら坂本さんには、自身がとてつもない「凡人」に見えていたのかもしれない。ピーター・シェーファーが「アマデウス」で描いたサリエリのように。しかし、新しい才能を発見した瞬間に、坂本さんの「憧れ」のバロメーターは、嫉妬などといった負の感情をはるかに超え、激しく振れ始める。その人のつくる、すべてのものを知りたい。その人に会いたい。そうした関心の乱反射が、あらゆる垣根を無意味なものにする。

かように坂本さんが憧れた人の筆頭格に、バッハがいる。幼いころ、ピアノを弾くとき、なぜ右手が旋律ばっかりで、左手が伴奏ばっかりなのかという疑問をもった。自身が左利きだったせいもあるだろうが、既存のシステムに簡単に従属しない性分だけは、生来のものだったたと思われる。

バッハに出会い、驚いたという。両方の指のいずれもが旋律を担い、ときに1本の旋律を受け渡しながら奏で、それが結果としておのずとハーモニーを築き上げている。右手と左手、旋律とハーモニー、そうした既存の役割分担から解き放たれた音楽があると知ったとき、坂本少年の無意識に、初めて「自由」というものの本質が刻まれたのだろう。

坂本さんのアイデンティティの形成に深くかかわったひとりとして、ドビュッシーの名も挙げたい。色彩感を喚起するハーモニーの革命を起こしたドビュッシーは、1889年のパリ万博で、インドネシアのガムラン音楽に触れている。西洋のシステムによって調律されていない鍵盤打楽器や銅鑼の合奏が生む、響きのうねり。余韻の伽藍。坂本さんの『戦場のメリークリスマス』のテーマ曲にも、このガムランの音色を遠景に聴くことができる。

もうひとり。東京藝大作曲科時代の坂本さんが強烈に憧れたのが、民俗音楽学者の小泉文夫だった。当時のクラシック界の権威的な空気が嫌でたまらなかったと、のちに坂本さんは告白している。そんな藝大に、自然の音を採取しようとジャングルの奥地に足を踏み入れ、カエルの声を録音しようと何度も池に潜り、みなに眉をひそめられている「変わり者」がいた。音楽へと洗練される以前の「音」を、虫取り網を掲げた少年さながらに夢中で追いかける姿が、「ぼくらが知っている音楽なんて、ほんの一部にすぎない」というのちの達観を導くことになる。

なぜこの人たちは、こんな人生を歩めるのだろう。自分の知らない世界を見せてくれる人たちに、坂本さんはひたすら憧れ、その背中を無心に、そして全力で追った。

そんなふうに坂本さんが憧れてきた人たちが、その後、坂本さん自身の人生をどんなふうに豊かにしたのか。この本はそのプロセスの一端を垣間見る、坂本さん自身の手による一種のドキュメンタリーといっていい。

八大山人を通じてナム・ジュン・パイクを想い、中上健次にジャズの本質を見る。論理的には何の「つながり」もない人たちの生のいとなみに、坂本さんの鋭敏な感性は何らかの「つらなり」を見つける。そして、その「つらなり」に、何らかの真実へのヒントを模索する。胸を躍らせながら新種の昆虫を探す、夏休みの少年のように。風通しの良い文体を得て、坂本さんのさまざまな「発見」が、嬉しそうにはじけながら連なってゆく。

誰にも束縛されず、所有もされない。真の「自由」が宿る場所に、自身が憧れた多くの人たちとともに今、坂本さん自身の魂も在る。

これからは坂本さんの音楽や文章に導かれ、芸術のユートピアに集ったあらゆる人々の「童心」に、私たちが新たに出会っていく番である。


最後に。坂本さんは、そうした「出会い」の場所をこの世界に残したいと考えていた。

2023年秋、東京の下町の一角にオープンした「坂本図書」には、坂本さんの蔵書の一部がゆったりと配置されている。重い鉄のドアを開き、中に入ってみると、いろんな本の匂いが押し寄せてくる。新しい本、古い本、小説、画集、哲学本。そうか、本にもそれぞれの「人格」ってものがあるんだな、などと、妙な風に感心してしまう。やあ、いらっしゃい。そんな風に、はにかみながら坂本さんが、初対面の私をも自らのプライベートな心の中に招き入れてくれているようで、「いいのかな?」と最初の一歩を躊躇してしまう。それくらい、そこは坂本さんの「実在」にあふれている。

10人も入ればいっぱいになってしまうので、当面はひとり3時間の交代制にするという。

3時間といえば、まさにライブの尺である。この3時間、私たちはワインと珈琲の香りに導かれ、坂本さんの脳内を自由に、能動的に回廊することができる。運がよければ、坂本さんの色とりどりの書き込みが、突然即興のセッションを求めてくるかもしれない。
坂本さんとともに、世界の循環の一部となった私たちは、もう誰ひとり「他人」ではない。坂本さんの希求した平和は、たぶん、そうしたすべての貴い「個」の連なりの先にしかないのだと、この場所で、あらためて思う。

吉田純子（よしだ・じゅんこ）：朝日新聞編集委員。和歌山県生まれ。1993年東京藝術大学音楽学部楽理科卒業、96年同大学院音楽研究科（西洋音楽史）修了。伴奏ピアニスト、キーボード奏者、音楽ライターを経て97年朝日新聞社入社。仙台支局、整理部、広告局広告第4部（金融担当）などを経て現職。コラム「日曜に想う」を執筆中。

本書は、2018年から2022年にわたりハースト婦人画報社『婦人画報』に掲載された、連載「坂本図書　第1回〜第36回」より、一部加筆・更新し、再編集したものです。

本書のバイオグラフィーは、坂本龍一に関する文献や各種書籍（『ぼくはあと何回、満月を見るだろう』（新潮社）、『音楽は自由にする』（新潮社）巻末年譜、『坂本龍一 —音楽の歴史—特装版—ディスコグラフィー』（小学館）など）を元に、一部加筆・抜粋したものです。

**撮影**　Neo Sora（そら・ねお）：映画監督、翻訳家、アーティスト。短編映画、ドキュメンタリー、PV、コンサートフィルムなどの監督、撮影、制作に携わる。短編映画『The Chicken・鶏』（2020年）は、『ロカルノ国際映画祭』で世界初上映。

**文・構成**　伊藤総研（いとう・そうけん）：編集者、プランナー。雑誌、書籍、映像、WEB、広告、空間など活動は多岐にわたる。著書に『健康音楽』『設置音楽』（ともにcommmons）、「龍一語彙　二〇一一年 ― 二〇一七年」（KADOKAWA）など。

**坂本図書**

発行日　2023年9月24日　第1刷発行
　　　　2023年10月20日 第2刷発行

選書・語り　坂本龍一

文・構成　伊藤総研
撮影　Neo Sora
撮影（書影）　原田教正
デザイン　色部義昭
　　　　埴生拓也（株式会社日本デザインセンター 色部デザイン研究所）

監修　空 里香（Kab Inc.）

編集（連載）　谷口恭子（株式会社ハースト婦人画報社 婦人画報編集部）
編集（単行本）　平岩壮悟
　　　　原田菜央（合同会社itskn）
　　　　佐々木 好（合同会社itskn）
制作進行　湯田麻衣（Kab Inc.）
　　　　山田理沙（合同会社itskn）
　　　　森田瑞穂（株式会社日本デザインセンター）
出典　株式会社ハースト婦人画報社『婦人画報』連載「坂本図書」より
発行　一般社団法人坂本図書
発売　バリューブックス・パブリッシング
　　　　〒386-1102 長野県上田市上田原680-17　publishing@value-books.jp
印刷・製本　シナノ印刷株式会社

 ISBN978-4-910865-06-5 C0095　Printed in Japan